जीव-जन्तुओं की आश्चर्यजनक बातें

डॉ. हिम्मत राय मोना

वाणी प्रकाशन

वाणी प्रकाशन

4695, 21-ए, दरियागंज, नयी दिल्ली 110 002

शाखा

अशोक राजपथ, पटना 800 004

फ़ोन: +91 11 23273167 फ़ैक्स: +91 11 23275710

www.vaniprakashan.in
vaniprakashan@gmail.com
sales@vaniprakashan.in

JEEV-JANTUON KI AASHCHRYJANAK BATEIN
by Dr. Himmat Rai Mona

ISBN 978- 81-906406-0-2

संस्करण 2018

मूल्य : ₹ 200

आर.टेक ऑफसेट, दिल्ली-110095 में मुद्रित

वाणी प्रकाशन का लोगो मक़बूल फ़िदा हुसेन की कूची से

अनुक्रम

प्राणी विज्ञान

प्राणी विज्ञान या जंतु विज्ञान (en:Zoology) (जीव विज्ञान की शाखा है जो जानवरों और उनके जीवन, शरीर, विकास और वर्गीकरण से सम्बन्धित होती है।

प्राणी की परिभाषा

प्राणी की परिभाषा कई प्रकार से की गई है। कुछ लोग प्राणी ऐसे जीव को कहते हैं जो कार्बोहाइड्रेट, प्रोटीन और वसा का सृजन तो नहीं करता, पर जीवनयापन के लिए इन पर निर्भर करता है। इन पदार्थों को प्राणी बाह्य स्रोत से ही प्राप्त करता है। इनके सृजन करने वाले पादप जाति के जीव होते हैं, जो अकार्बनिक स्रोतों से प्राप्त पदार्थों से इनका सृजन करते हैं।

ये दोनों ही परिभाषाएँ सब प्राणियों पर लागू नहीं होतीं। पादप जाति के कुछ कवक और जीवाणु ऐसे हैं, जो अपना भोजन बाह्य स्रोतों से प्राप्त करते हैं। कुछ ऐसे प्राणी भी हैं, जो स्टार्च का सृजन स्वयं करते हैं। अतरू प्राणी और पादप में विभेद करना कुछ दशाओं में बड़ा कठिन हो जाता है। यही कारण है कि प्राणिविज्ञान और पादपविज्ञान का अध्ययन एक समय विज्ञान की एक ही शाखा में साथ साथ किया जाता था और उसका नाम जैविकी या जीव विज्ञान (Biology) दिया गया है। पर आज ये दोनों शाखाएँ इतनी विकसित हो गई हैं कि इनका सम्यक् अध्ययन एक साथ करना संभव नहीं है। अतरू आजकल प्राणिविज्ञान एवं पादपविज्ञान का अध्ययन अलग अलग ही किया जाता है।

प्राणिविज्ञान का महत्व

प्राणिविज्ञान का अध्ययन मनुष्य के लिए बड़े महत्व का है। मनुष्य के चारों ओर नाना प्रकार के जंतु रहते हैं। वह उन्हें देखता है और उसे उनसे बराबर काम पड़ता है। कुछ जंतु मनुष्य के लिए बड़े उपयोगी सिद्ध हुए हैं। अनेक जंतु मनुष्य के आहार होते हैं। जंतुओं से हमें दूध प्राप्त होता है। कुछ

जंतु ऊन प्रदान करते हैं, जिनसे बहुमूल्य ऊनी वस्त्र तैयार होते हैं। जंतुओं से ही रेशम, मधु, लाख आदि बड़ी उपयोगी वस्तुएँ प्राप्त होती हैं। जंतुओं से ही अधिकांश खेतों की जुताई होती है। बैल, घोड़े, खच्चर तथा गदहे इत्यादि परिवहन का काम करते हैं। कुछ जंतु मनुष्य के शत्रु भी हैं और ये मनुष्य को कष्ट पहुँचाते, फसल नष्ट करते, पीड़ा देते और कभी कभी मार भी डालते हैं। अतरू प्राणिविज्ञान का अध्ययन हमारे लिए महत्त्व रखता है।

बौद्धिक विकास के कारण मनुष्य अन्य प्राणियों से भिन्न होता है, पर शारीरिक बनावट और शारीरिक प्रणाली में अन्य कुछ प्राणियों से बड़ी समानता रखता है। इन कुछ प्राणियों की इद्रियाँ और कार्यप्रणाली मनुष्य की इंद्रियाँ और कार्यप्रणाली से बहुत मिलती जुलती है। इससे अनेक नई ओषधियों के प्रभाव का अध्ययन करने में इन प्राणियों से लाभ उठाया गया है और अनेक नई नई औषधियों के आविष्कार में सहायता मिली है।

इतिहास

प्राणियों का अध्ययन बहुत प्राचीन काल से होता आ रहा है। इसका प्रमाण वे प्राचीन गुफाएँ हैं जिनकी पत्थर की दीवारों पर पशुओं की आकृतियाँ आज भी पाई जाती हैं। यूनानी दार्शनिक अरस्तू ने ईसा के 300 वर्ष पूर्व जंतुओं पर एक पुस्तक लिखी थी। गैलेना (Galena) एक दूसरे रोमन वैद्य थे, जिन्होंने दूसरी शताब्दी में पशुओं की अनेक विशेषताओं का बड़ी स्पष्टता से वर्णन किया है। यूनान और रोम के अन्य कई ग्रंथकारों ने प्रकृतिविज्ञान पर पुस्तकें लिखीं हैं, जिनमें जंतुओं का उल्लेख है। बाद में लगभग हजार वर्ष तक प्राणिविज्ञान भुला दिया गया था। 16वीं सदी में लोगों का ध्यान फिर इस विज्ञान की ओर आकर्षित हुआ। उस समय चिकित्सा विद्यालयों के अध्यापकों का ध्यान इस ओर विशेष रूप से गया और वे इसके अध्ययन में प्रवृत्त हुए। 17वीं तथा 18वीं शताब्दी में इस विज्ञान की विशेष प्रगति हुई। सूक्ष्मदर्शी के आविष्कार के बाद इसका अध्ययन बहुत व्यापक हो गया। आधुनिक प्राणिविज्ञान की प्रायः इसी समय नींव पड़ी और जंतुओं के नामकरण और आकारिकी की ओर विशेष रूप से ध्यान दिया गया। लिनियस ने षदि सिस्टम ऑव नेचरष (1735 ई.) नामक पुस्तक में पहले पहल जंतुओं के नामकरण का वर्णन किया है। उस समय तक ज्ञात जंतुओं की संख्या बहुत अधिक हो गई थी और उनका वर्गीकरण आवश्यक हो गया था।

शाखाएँ

सम्यक् अध्ययन के लिए प्राणिविज्ञान को कई शाखाओं में विभाजित करना आवश्यक हो गया है। ऐसे अंतर्विभागों में आकारिकी (Morphology), सूक्ष्मऊतकविज्ञान (Histology), कोशिकाविज्ञान (Cystology), भ्रूणविज्ञान (Embryology), जीवाश्मविज्ञान (Palaeontology), विकृतिविज्ञान (Pathology), वर्गीकरणविज्ञान (Taxology), आनुवांशिकविज्ञान (Genetics), जीवविकास (Evolution), पारिस्थितिकी (Ecology) तथा मनोविज्ञान (Psychology) अधिक महत्व के हैं।

आकारिकी

जंतु भिन्न भिन्न प्रकार के होते हैं। उनके बाह्य लक्षण, शरीर का आकार, विस्तार, वर्ण, त्वचा, बाल, पर, आँख, कान, पैर तथा अन्य अंग भिन्न भिन्न प्रकार के होते हैं। अतरू शीघ्र ही स्पष्ट हो गया कि जंतुओं के बाह्य लक्षणों का ज्ञान साधारण बात है। उनकी आंतरिक बनावट से ही कुछ विशेष तथ्य की बातें मालूम हो सकती हैं। अतरू उनकी बनावट के अध्ययन पर विशेष ध्यान दिया गया। जंतुओं का चाकुओं और अन्य औजारों से चीरफाड़ कर, काट छाँटकर, अध्ययन शुरू हुआ और सूक्ष्मदर्शी के आविष्कार और प्रयोग से अनेक बातें मालूम हुईं, जिनसे उनके विभाजन में बड़ी सहायता मिलती है। जंतु कोशिकाओं से बने हैं। सब जंतुओं की कोशिकाएँ एक सी नहीं होतीं। ऊतकों से ही जंतुओं के सब अंग उदर, वृक्क आदि बनते हैं। ऊतक भी एक से नहीं होते। कुछ जंतु एक कोशिका से बने हैं, इन्हें एककोशिकीय या प्रोटोजोआ (Protozoa) कहते हैं। इनकी संख्या अपेक्षया थोड़ी है। अधिक जंतु अनेक कोशिकाओं से बने हैं। इन्हें बहुकोशिकीय या मेटाज़ोआ (Metazoa) कहते हैं। इनकी संख्या बहुत बड़ी है। इन जंतुओं की आकारिकी के अध्ययन से पता लगता है कि सब जंतुओं के प्रतिरूप सीमित किस्म के ही हाते हैं, यद्यपि बाह्यदृष्टि से देखने में यह बहुत भिन्न मालूम पड़ते हैं। अधिकांश जंतु रीढ़वाले या कशेरुकी (verterbate) हैं और अपेक्षया कुछ थोड़े से ही अकशेरुकी या अपृष्ठवंशी (invertebrate) हैं।

सूक्ष्मऊतकविज्ञान

इसके अध्ययन के लिए विभिन्न जंतुओं के ऊतकों को महीन काटकर, उसी रूप में अथवा रंजकों से अभिरंजित कर, सूक्ष्मदर्शी से निरीक्षण कते हैं।

रंजक के उपयोग से कोशिकाएँ अधिक स्पष्ट हो जाती हैं पर उससे कोशिकाओं की कोई क्षति नहीं होती। कोशिकाओं को बहुत महीन काटने के लिए (1ध1000 मिमी. की मोटाई तक) यंत्र बने हैं, जिन्हें माइक्रोटोम कहते हैं। ऐसे अध्ययन से ऊतकों को सामान्यतः निम्नलिखित चार प्रकार में विभक्त किया गया है रू

1. उपकलाऊतक (Epithelial tissue),
2. तंत्रिका ऊतक (Nervous tissue)
3. योजीऊतक (Connective tissue) तथा
4. पेशीऊतक (Muscular tissue)।

कोशिकाविज्ञान

इसके अंतर्गत जंतुओं की कोशिकाओं का अध्ययन होता है। इनकी कोशिकाओं में जीवद्रव्य (protoplasm) रहता है। कुछ कोशिकाएँ एककोशिकीय होती हैं और कुछ बहुकोशिकीय। जीवद्रव्य सरल पदार्थ नहीं हैं। इनमें बड़ी सूक्ष्म बनावट के अनेक पदार्थ मिले रहते हैं। कोशिकाओं का आनुवंशिकी से बड़ा घनिष्ठ संबंध है। कोशिकाएँ भिन्न भिन्न आकार और विस्तार की होती हैं। सामान्य कोशिका के दो भाग होते हैंरू एक केंद्रक होता है और दूसरा उसको घेरे हुए कोशिकाद्रव्य (cytoplasm) होता है।

भ्रूणविज्ञान

जब शुक्राणुकोशिका से संयोजन कर अंडकोशिका उद्दीप्त होती है तब उसका भ्रूणविकास प्रारंभ हो जाता है। इससे एक विशिष्ट लक्षण प्रकट होता है। इस प्रक्रिया का जब प्राणिविज्ञानियों ने अनेक जंतुओं में अध्ययन किया, तब उन्हें पता लगा कि सभी जंतुओं में इस प्रक्रिया में बहुत सदृश्य पाया जाता है। अंडों का पहले विदलन होता है। इससे नई कोशिकाएँ गेंदों में बँट जाती हैं। इसके बाद एक द्विस्तरी पदार्थ गैस्टक्रला (gastrula) बनता है। इसके बाद एक बाह्य उपकला और एक अंतर उपकला (epithelium) बनती है। किसी किसी दशा में एक ठोस पिंड, अंतर्जनस्तर (entoderm), भी बनता है। अंतर्जनस्तर की उत्पत्ति भिन्न भिन्न प्रकार की हाती है। अधिकांश दशा में उत्पत्ति अंतर्वलन (invagilation) द्वारा, अथवा बाह्य उपकला के भीतर मुड़ने के कारण होती है। हैकेल (Haekel) तथा कुछ अन्य प्राणिविज्ञानियों का मत है कि प्राथमिक रीति अंतर्वलन की रीति है। यदि अन्य कोई रीति है तो वह

गौण रीति है और प्राथमिक रीति से ही निकलती हैं। गैस्टक्रला अवस्था के स्थापित होने के बाद, बाह्य त्वचा (ectoderm) और अंतर्जनस्तर के बीच ऊतक बनते हैं, जिसे मध्य जनस्तर कहते हैं। जंतुओं में मध्य जनस्तर कई प्रकार के पाए गए हैं। पर जो बड़े महत्व का समझा जाता है वह है आंत्रगुहा (enterocoele), जिसमें अंतर्जनस्तर से कोटरिका (pocket) के ढकेलने से मध्यजनस्तर बनता है। बाह्य चर्म, अंतर्जनस्तर और मध्य जनस्तर को जनस्तर (हमतउसंलमत) कहते हैं। इसी स्तर से प्रौढ़ जंतुओं के ऊतक और अन्य अंग बनते हैं। एक पर एक तह के बनने और स्थानांतरण द्वारा यह कार्य होता है।

जीवाश्मविज्ञान

अनेक जंतु ऐसे हैं जो एक समय इस पृथ्वी पर विद्यमान थे। पर वे अब कहीं–कहीं पाए जाते हैं। इनके जीवाश्म पृथ्वीस्तरों या चट्टानों में पाए जाते हैं। इनसे संबंधित बातों के अध्ययन को जीवाश्मविज्ञान कहते हैं। अध्ययन से पता लगता है कि ये जंतु किस युग में, कितने लाखों या करोड़ों वर्ष पूर्व विद्यमान थे और वर्तमान युग के कौन–कौन जंतु उनसे संबंधित कहे जा सकते हैं। उच्च प्राणियों के विकास में कौन–कौन अवस्थाएँ हुईं, इनका पता भी जीवाश्म के अध्ययन से बहुत कुछ लगता है। यह विज्ञान भौतिकी से बहुत घनिष्ट संबंध रखता है ।

आनुवांशिक विज्ञान

विज्ञान की इस शाखा क संबंध प्राणियों की अनुवांशिकता, विभिन्नता, परिवर्धन और विकास से है। प्राणियों में समानता और विभिन्नता का अध्ययन इसी के अंतर्गत होता है। पिता और संतान के गुणों में कैसा संबंध है, प्रौढ़ों के विशिष्ट गुण अंडों में कैसे विद्यमान रहते हैं, अंडों के परिवर्धन के साथ साथ प्रौढ़ो में उनके गुणों का कैसे विकास होता है, इनका अध्ययन, निरीक्षण, प्रायोगिक प्रजनन, औतिकीय और प्रायोगिक आकारिकी से होता है। जंतुओं से प्राप्त परिणामों का उपयोग मानव–सुजनन–विज्ञान (eugenics) में भी हुआ है।

विकास

इसके अंतर्गत विभिन्न जंतुओं का विकास होकर आधुनिक रूप कैसे प्राप्त हुआ है, इसका अध्ययन होता है।

पारिस्थितिकी

प्राणी कैसे वातावरण में रहते हैं, कैसा वातावरण उनके अनुकूल होता है और कैसा वातावरण प्रतिकूल, इसका अध्ययन पारिस्थितिकी में होता है। वातावरण के कारक भौतिक हो सते हैं अथवा रासायनिक। ताप, प्रकाश, आर्द्रता तथा समुद्री जंतुओं के संबंध में समुद्रजल में लवण की मात्रा, जल की गहराई और जल का दबाव इत्यादि विभिन्न कारक हैं, जिनका अध्ययन इसके अंतर्गत आता है। पृथ्वीतल के विभिन्न भागों पर जंतु कैसे फैले हुए हैं, इसका भी अध्ययन इसके अंतर्गत होता है।

जंतुरोग विज्ञान

इसके अंतर्गत जंतुओं के रोगों का अध्ययन होता है। मानव हित के लिए यह जानना आवश्यक होता है कि जिन जंतुओं को हम खाते अथवा जिनसे हम दूध, मक्खन, अंडा आदि प्राप्त करते हैं, वे स्वस्थ हैं या नहीं। पशुओं की अस्वस्थता का प्रभाव मानवशरीर पर भी पड़ सकता है। उससे बचने के लिए जंतुओं के रोगों का अध्ययन बड़ा महत्व रखता है। रोगों से अनेक जंतु मर भी जाते हैं, जिससे आर्थिक दृष्टि से बहुत बड़ी क्षति होती है।

मनोविज्ञान

जंतुओं का मस्तिष्क कैसे कार्य करता है, उनमें कितनी समझ है, सिखाने से वे कहाँ तक सीख सकते हैं, इनका मानव तथा अन्य जंतुओं के प्रति कैसा व्यवहार होता है, इत्यादि का अध्ययन मनोविज्ञान के अंतर्गत होता है। उपर्युक्त बातों के अध्ययन से मनुष्य को बहुत लाभ हो सकता है। कुत्ते के प्रशिक्षण से चोरों, डाकुओं या हत्यारों का पकड़ना आज बहुत कुछ सुलभ हो गया है। प्रशिक्षण से ही हाथी जंगलों में लकड़ियों को एक स्थान से दूसरे स्थान पर ले जाता है और सवारी का काम देता है।

प्राणियों का वर्गीकरण

प्राणियों की सख्या बहुत अधिक हो गई है। अब तक इनके दो लाख वंशों और 10 लाख जातियों का पता लगा है। प्राणियों के सुचातु रूप से अध्ययन के लिए प्राणियों का वर्गीकरण बहुत आवश्यक हो गया है। वर्गीकरण कठिन कार्य है। विभिन्न प्राणिविज्ञानी वर्गीकरण में एकमत नहीं हैं। विभिन्न ग्रंथकारों ने विभिन्न प्रकार से जंतुओं का वर्गीकरण किया है। कुछ प्राणी ऐसे

हैं जिनको किसी एक वर्ग में रखना भी कठिन होता है, क्योंकि इनके कुछ गुण एक वर्ग के जंतुओं से मिलते हैं तो कुछ गुण दूसरे वर्ग के जंतुओं से।

साधारणतया सभी वैज्ञानिक सहमत हैं कि जंतुओं का वर्गीकरण निम्नलिखित प्रकार से होना चाहिए जिसमें छोटे समूह से प्रारंभ करके क्रमशरू बड़े–बड़े समूह दिए हैं।

1. जाति (species),
2. वंश (genus),
3. कुल (family),
4. गण (order),
5. वर्ग (class) तथा
6. संघ या फाइलम (phyllum)।

इन विभाजनों के भी अंतर्विभाग हैं जिन्हें उप (sub), अव या अधरू (infra) और अधि (super) जोड़कर बनाते हैं।

जंतुओं का नामकरण

विभिन्न देशों में और विभिन्न भाषाओं में जंतुओं के नाम भिन्न–भिन्न होते हैं। इससे इनके अध्ययन में कठिनता होती है। अध्ययन की सुविधा की दृष्टि से नामों में एरूपता लाना अत्यावश्यक है। नामों में एकरूपता लाने का सर्वप्रथम प्रयास लिनीयस (Linnaeus) ने किया। उन्होंने सब जंतुओं को लैटिन नाम दिया। इस नामकरण के अनुसार जंतुओं के नाम दो शब्दों से बने होते हैं। इस प्रणाली को 'द्विपद प्रणाली' (Binomial System) कहते हैं। इसके अनुसार जंतुओं का पहला नाम वंशिक नाम वंशिक नाम होता है और दूसरा उसका विशिष्ट नाम। वंशिक नाम अंग्रेजी के कैपिटल अक्षर से और दूसरा नाम छोटे अक्षर से लिख जाता है। इससे विभिन्न देशों में विभिन्न नामों से जो अव्यवस्था अव्यवस्था होती थी, वह दूर हो गई और इस प्रकार नामों में एकरूपता आ गई। ये वैज्ञानिक नाम आज बड़े महत्व के हैं और इनसे विभिन्न देशों के वैज्ञानिकों को जंतुओं के अध्ययन में बड़ी सहायता मिली है।

जाति

जंतुओं का वर्गीकरण विभिन्न प्रकार के जंतुओं को अलग अलग करके शुरू करते हैं। हम देखते हैं कि गाय समस्त संसार में प्रायः एक सी होती है

ओर वह घोड़े या भैंस से भिन्न होती है। अतः हम गाय को एक जाति में रखते हैं, घोड़े और भैंस को अलग–अलग दूसरी जातियों में। गाय की जाति घोड़े और भैंस की जातियों से भिन्न है। कुछ जातियों की उपजातियाँ भी हैं। कुछ जातियाँ ऐसी हैं जिनका एक दूसरे से विभेद करना कठिन होता है।

वंश

कुछ जातियाँ ऐसी हैं जिनकी आकारिकी में बहुत सादृश्य है, पर बाह्य आकार में विभिन्नता देखी जाती है। इस प्रकार की कई जातियाँ हो सकती हैं जिनके बाह्य रूप में अंतर होने पर भी आकारिकी में सादृश्य हो। ऐसी विभिन्न जातियों को एक वंश के अंतर्गत रखने के लिए उनमें कितनी समानता और कितनी विभिन्नता रखनी चाहिए, इसका निर्णय वैज्ञानिकों पर निर्भर करता है और बहुधा कुछ जातियाँ एक वंश से दूसरे वंश में बदलती हुई पाई जाती हैं। पहले ऐसा होना सामान्य बात थी, पर अब इसमें बहुत कुछ स्थिरता आ गई है।

कुल

कुछ ऐसे वंश है जिनके प्राणियों में समानता देखी जाती है। ऐसे विभिन्न वंशवाले जंतुओं को एक स्थान पर एक कुल के अंतर्गत रखते हैं।

गण

एक ही किस्म की बनावट तथा सामान्य गुणवाले विभिन्न कुलों के जंतुओं को एक साथ रखने की आवश्यकता पड़ सकती है। इन्हें जिस वर्ग में रखते हैं उसे 'गण' कहते हैं। कई कुल मिलकर गण बनते हैं पर कुछ प्राणिविद् कुल और गण को पर्यायवाची शब्द मानते हैं। प्राणिविद् जंतुओं में ऐसा विभेद करने के लिए उनमें विशेष अंतर नहीं पाते, यद्यपि पादपविज्ञान में ऐसा अंतर स्पष्ट रूप से देखा जाता है।

वर्ग

जंतुओं के उस समूह को कहते हैं, जिसका पद गण और संघ के बीच का होता है।

संघ

जंतुजगत का प्रारंभिक विभाजन संघ है। प्रत्येक संघ के प्राणियों की

संरचना विशिष्ट होती है जिसके कारण प्रत्येक संघ के प्राणी एक दूसरे से भिन्न होते हैं। जंतुजगत के प्राणियों का विभाजन दो उपजगतों में हुआ है। जो जंतु केवल एक कोशिका के बने हैं उन्हें प्रोटोजोआ (Protozoa) कहते हैं। यह उपजगत् अपेक्षया बहुत छोटा है। जिस जगत् में सबसे अधिक संख्या में जंतु आते हैं उसे मेटाजोआ (Metazco) कहते हैं। ये बहुकोशिकाओं के बने होते हैं।

प्रोटोजोआ संघ

प्रायः सब ही प्रोटोजोआ बहुत छोटे जंतु होते हैं और साधारणतया सूक्ष्मदर्शी के सहारे ही देखे जाते हैं। पर कुछ प्रोटोजोआ विकसित होकर निवह (colony) बनते हैं, तब इन्हें केवल आँखों से देखा जा सकता है। प्रोटोजोआ के ऐसे निवह गंदे पानी में देखे जा सकते हैं। इनमें कुछ कशाभिका (flagellum) द्वारा, कुछ पक्ष्माभिका (cilia) द्वारा तथा कुछ अन्य साधनों से तैरते हुए पाए जाते हैं। अधिकांश प्रोटोजोआ परजीवी होते हैं तथा बड़े बड़े जीवों पर आश्रित हाते हैं। ये अनेक रोगों, जैसे मलेरिया, निद्रारोग इत्यादि के कारण होते हैं।

इस संघ के अंतर्गत निम्नलिखित वर्ग आते हैं रू

वर्ग – 1. फ्लैजेलेटा (Flagellata),
वर्ग – 2. राइजॉपोडा (Rhizopoda),
वर्ग – 3. सिलिएटा (Ciliata),
वर्ग – 4. टेलोस्पोरिडा (Telosporidia),
वर्ग – 5. नाइडास्पोरिडिया (Cnidasporidia) तथा
वर्ग – 6. ऐक्निडोस्पोरिडिया (Acnidosporidia)।

पॉरिफेरा (*Porifera*) संघ

इस संघ में स्पंजी जंतु आते हैं। ये एक स्थान पर बढ़ते हैं और अनेक कोशिकाओं से बने होते हैं। इनका शरीर वस्तुतरू कोशों का बना होता है, जिनके पार्श्व में अनेक छोटे छोटे छिद्र (pores) होते हैं। इन छिद्रों से पानी जाता है, इन्हीं से इन्हें भोजन मिलता है। इनमें भोजन के लिए कोई मुख या इंद्रियाँ नहीं होतीं। अनेक छोटी छोटी, कड़ी कंटिकाओं (spicules) के कारण इनका शरीर कड़ा होता है। इन्हीं से इनका पंजर बनता है, जैसा हम स्पंज गें देखते हैं। इनकी कोशिकाएँ ऊतकों से बनी होती हैं।

सिलेंटरेटा (Coelenterata) संघ

इसके अंतर्गत प्रवाल (मूँगा), जेली फिश, आनमोनि (nemones) आदि सरल जंतु आते हैं। इनका शरीर सामान्य कोशिकाओं के सघन स्तरों के बने होते हैं जो एक दूसरे से भिन्न होते हैं। यही बनावट अन्य उच्चतर जंतुओं की बनावट का आधार है। आंतरिक भाग पाचक क्षेत्र है। सिलेंटरेटा में एक ही सूराख होता है, जो मुख और गुदा दोनों का कार्य करता है। इसके अतिरिक्त अन्य तीसरा स्तर नहीं होता, जैसा अधिक परिवर्धित जंतुओं में पाया जाता है। सिलेंटरेटा अक्रिय होते हैं और यद्यपि ये सक्रिय रूप से तैरते नहीं हैं, बहते रहते हैं। इनके विभिन्न अंग इनके मुख के चारों ओर वृत्ताकार व्यवस्थित रहते हैं। एक समय इसी के अंतर्गत टिनॉफोरा (Ctenophora) भी रखे जाते थे, पर अब अनेक प्राणिविदों ने इन्हें एक अलग संघ में रखा है।

प्लैटीहेल्मिंथीज संघ

इसके अंतर्गत चपटे कृमि (flat worms) सदृश अनेक कृमि आते हैं। इनके शरीर की बनावट अधिक विकसित पाई जाती है। ऐसे चपटे कृमि कुछ तो तालाबों और सरिताओं में स्वतंत्र रूप से रहते पाए जाते हैं और कुछ, जैसे पर्णाभ कृमि (सिनामे), रुधिर पर्णाभ कृमि तथा फीताकृमि (tapeworm) परजीवी होते हैं। इनके शरीर की बनावट सममित होती है, अर्थात् एक आधा दूसरे आधे भाग का दर्पणबिंब होता है। इनके शरीर में बाह्य और अंतर त्वचाओं के बीच एक तीसरा स्तर मध्यजनस्तर (mesoderm) होता है।

नेमाटोडा संघ

इस संघ में छोटे छोटे गोलकृमि (round worm) आते हैं। ये कई प्रकार के परजीवी होते हैं। इनके अंतर्गत अंकुश कृमि (hook worm) और ट्राइकिना (trichina) आते हैं जो मनुष्यों और अन्य उच्च जंतुओं की आँत में बहुधा पाए जाते हैं। इनके शरीर में कुछ ऐसे प्रगतिशील लक्षण पाए जाते हैं, जो चपटे कृमि में नहीं होते। इनकी आहारनली (gut) में मुख और गुदा अलग अलग होते हैं। इसी के अंतर्गत गोर्डियेसी (Gordiacea) आते हैं।

नेमरटिनिया संघ

इसके अंतर्गत सरल कृमि सदृश समुद्री जंतु आते हैं। ये अपनी लंबी सदृश शुंडिका (proboscis) फैलाकर अपना भोजन पकड़ते हैं।

नेमाटोमॉर्फा संघ

इस संघ के प्राणी रोमकृमि हैं। ये पतले होते हैं और पानी में रहते हैं।

रोटिफरा संघ

इस संघ के प्राणी सूक्ष्म जंतु हैं, जो स्थिर ताजे पानी में रहते हैं। इनके सिर पर निकला हुआ एक वृत्त होता है, जिससे य चक्रधारी कृमि भी कहे जाते हैं। इन्हीं वृत्तों के सहारे ये तैरते हैं और आहार को मुख में डाल लेते हैं। ये सूक्ष्म पदार्थों और सूक्ष्म जंतुओं का भक्षण करते हैं। नर से बच्चे उत्पन्न करने में सहायता मिलती है, पर नर की सहायता के बिना भी मादा बच्चे उत्पन्न कर सकती है। शुष्कावस्था में ये अनेक वर्षों तक जीवित रह सकते हैं। पवन तथा पक्षियों द्वारा दूर दूर तक जा सकते हैं। एक समय इन जंतुओं को ट्रॉकेलमेंथीज (ज्तवबीमसउमदजीमे) संघ के अंतर्गत रखा जाता था। अब इनका अपना अलग संघ है।

पलिजोआ संघ

इसके अंतर्गत हरितजंतु आते हैं। ये छोटे समुद्री जीव हैं, जो समुद्रतल पर पादप सदृश निवह बनाकर रहते हैं। इनकी कुछ जातियाँ ताजे पानी में भी पाई जाती हैं।

ब्रैकियोपोडा संघ

इस संघ के प्राणी ताजे पानी में रहनेवाले जंतु हैं, पर समुद्रतल पर भी पाए जाते हैं। ये कवचों से आच्छादित होते हैं। इनके कवच मोलस्क के कवच सदृश होते हैं। इनके पाँच प्रमुख गण होते हैं और उनकी रचनाओं में पर्याप्त अंतर देखा जाता है।

फोरोनिडी संघ

इस संघ के प्राणी समुद्री जंतु हैं, जा बहुत नहीं पाए जाते। ये नलाकार होते हैं।

किटॉग्नाथा या वाणॉमि संघ

इस संघ के प्राणी पतले, पारदर्शक तथा बण के आकार के समुद्री जीव हैं।

ऐनेलिडा

इसके प्राणी खंडयुक्त कृमि हैं। इनमें कशेरुक नहीं होता, अन्यथा ये बहुत अधिक परिवर्धित जंतु हैं। सामान्य केंचुआ इसी वर्ग का जंतु है। समुद्र में इससे बहुत अधिक परिवर्धित जंतु पाए जाते हैं। जोंक भी इसी संघ का सदस्य है। इनकी विशेषता यह है कि इनका शरीर कई खंडो में विभाजित होता है। प्रत्येक खंड पर वलयश्रेणियाँ होती हैं। प्रत्येक खंड में शरीर की रचना उपस्थित रहती है। इन जंतुओं में मध्यजनस्तर नहीं होता। इनके शरीर में एक कोटर विकसित होता है, जिसमें अनेक महत्व के अंग स्थित होते हैं। इनके तंत्रिका तंत्र और रुधिरवाहनी तंत्र सुपरिवर्धित होते हैं, जो कशेरुकी जीवों और मानव से बहुत भिन्न होते हैं।

आर्थीपोडा संघ

इसके अंतर्गत संधि पादवाले जंतु आते हैं। ये ऐनेलिडा या इसी प्रकार के अन्य जंतुआं से विकसित होकर बने हैं। ये ऐनेलिडा या इसी प्रकार के अन्य जंतुओं से विकसित होकर बने हैं। ये ऐनेलिडा संघ के जंतुओं से बहुत कुछ समानता रखते हैं। कड़े कवच सदृश इनकी त्वचा के कारण इनका शरीर कड़ा होता है। शरीर में अनेक संधियों का होना, इनकी विशेषता है। इस संघ के क्रस्टेशिया (Crustacea) वर्ग के जंतु पानी में रहते हैं। इसके अंतर्गत झींगा मछली (lobtster), चिंगट मछली (crayfish), केकड़ा आदि आते हैं। इस संघ के अरैकनिडा (Arachnida) वर्ग के जंतु प्रधानतया स्थलीय हैं। मकड़ी, बिच्छू, अश्वनालाकार केकड़े आदि इसके अंतर्गत आते हैं। मिरिऐपोडा (Myriapoda) वर्ग के अंतर्गत अनेक पैरवाले जंतु, जैसे गोजर, शतपदी अदि आते हैं। इंसेक्टा (Insecta) वर्ग के अंतर्गत तीन जोड़ा पैरवाले और सामान्यतः पंख वाले जंतु आते हैं। इनकी लगभग 6,00,000 जातियाँ मालूम हैं। जंतुओं में ये सबसे अधिक विकसित जंतु हैं।

मोलस्का (Mollusca) संघ

इस संघ के अधिकांश जंतु विभिन्न रूपों के समुद्री प्राणी होते हैं, पर कुछ ताजे पानी और स्थल पर भी पाए जाते हैं। इनका शरीर कोमल और प्रायः आकारहीन होता है। ये प्रवर (mantle) में बंद रहते हैं। साधारणतया स्राव द्वारा कड़े कवच का निर्माण करते हैं। कवच कई प्रकार के होते हैं। कवच के तीन स्तर होते हैं। पतला बाह्यस्तर कैलसियम कार्बोनेट का बना

होता है और मध्यस्तर तथा सबसे निचलास्तर मुक्ता सीप का बना होता है। ये स्क्विड (squid) और ऑक्टोपोडा से मिलते जुलते हैं पर उनसे कई लक्षणों में भिन्न होते हैं। इनमें खंडीभवन (segmentation) नहीं होता।

एकाइनोडर्माटा (Echinodermata) संघ

इस संघ के अंतर्गत अरीय बहिरूकंकाल वाले जंतु आते हैं। तारामीन (starfish), समुद्री अर्चिन (sea&urchin), सैंड डॉलर्स (sanddollars) इसी के अंतर्गत आते हैं। ये मंद चालवाले होते हैं और साधारणतया समूह में रहते हैं। इनके डिंभ द्विपार्श्व सममित होते हैं, पर वयस्क त्रिज्यातः सममित (radially symmetrical) होते हैं। इनकी विशेषता यह है कि इनके शरीर में जल से भरी हुई नलियों की श्रेणियाँ रहती हैं, जिनसे अनेक पैर निकले रहते हैं। इन्हीं से इनमें गमनशीलता आती है। इनके परिवर्धन से पता लगता है कि ये कॉर्डेटा से न्यूनाधिक संबंधित हैं।

कॉर्डेटा (Chordata) संघ

इस संघ के अंतर्गत रीढ़वाले जंतु आते हैं। आद्य किस्म के कुछ जंतु भी इसके अंतर्गत आते हैं। इन सबकी रचना तथा आकृति प्रगतिशील किस्म की होती है। इनका विकास ऐनेलिडा और आर्थ्रोपोडा से भिन्न प्रकार से हुआ है। ये द्विपार्श्व सममित (bilaterally symmetical) होते हैं और अंशतः खंडों में विभाजित होते हैं। इन सबमें गिलछिद्र (gill slits), या कोष्ठ (pouch) होते हैं, जो जलीय जंतुओं में साँस लेने का कार्य करते हैं। पृष्ठ भाग पर पृष्ठरज्जु विकसित होते हैं। ऐनेलिड और आर्थ्रोपोडा में पृष्ठरज्जु अंदर रहते हैं। इस संघ के जंतुओं में एक लंबी नम्य शलाका (rod) होती है, जिसे पृष्ठरज्जु (notochord) कहते हैं। इसी से इनका शरीर तना हुआ रहता है। इस संघ के निम्नलिखित चार उपसंघ अधिक महत्व के हैं रू

हेमिकॉर्डा (Hemichorda)

इस उपसंघ के प्राणी समुद्री जंतु हैं। इनके दो वर्ग हैं। देखने में ये ऐनेलिड जैसे लगते हैं, पर इनकी रचना ऐनेलिड जैसे लगते हैं, पर इनकी रचना ऐनेलिड से भिन्न होती हैं। इनमें कॉर्डेटा के सब लक्षण होते हैं, पर ये बहुत विकसित नहीं हैं। इनके शरीर के अग्र भाग में शुंड रहता है। इनके शरीर के अग्र भाग में शुंड रहता है, जिसके आधार पर कॉलर (collar) होते हैं।

यूरोकॉर्डा (*Urochorda*)

इस उपसंघ में कंचुक (जनदपबंजमे) और समुद्री स्क्वर्स्ट (ुनपतजे) आते हैं। इनमें अनेक गिलछिद्र, तंत्रिकारज्जु और पृष्ठरज्जु होते हैं।

सेफैलोकॉर्डा (*Cephalochorda*)

इस उपसंघ के प्राणी छोटे पारभासक समुद्री जंतु हैं। देखने में मछली जैसे लगते हैं, पर इनकी रचना अधिक आद्य होती है। इनमें गिलछिद्र, तंत्रिकारज्जु तथा पृष्ठरज्जु, सब होते हैं। इनके उदाहरण ऐंफिआक्सस (Amphioxus) हैं।

वर्टिब्रेटा (टमतंजमइतंजं)

इस उपसंघ के अंतर्गत रीढ़वाले जंतु आते हैं। इनमें पृष्ठरज्जु के स्थान में रीढ़ होती है। इनका पंजर अधिक विकसित होते है और इनके लक्षण (feature) अधिक विकसित होते हैं। इस उपसंघ के प्राणियों को सात वर्गों में विभक्त किया गया है:

(1) ऐग्नाथा (Agnatha) – इस वर्ग के अंतर्गत बिना जबड़ेवाले कशेरुकी आते हैं। लैंप्री (lamprey), कुहाकिनी मीन (hogfish, cyclostoma) इस वर्ग के प्राणी हैं।

(2) कांड्रिक्थीईज (Chondrichthyes) – इस वर्ग में उपास्थियुक्त मीन, हांगुर (shark), तनुका (skate) आदि आते हैं। इनमें जबड़े होते हैं, पर पंजर में हड्डी नहीं होती।

(3) ऑस्टिइक्थीईज (Osteichthyes) – इस वर्ग में हड्डीवाले विकसित मीन आते हैं। सामान्य भोजय मछलियाँ इसी वर्ग की होती हैं।

(4) ऐंफिबिया (Amphibia) – इस वर्ग के अंतर्गत मेढ़क, भेक (toad), सैलामैंडर (salamander) आदि आते हैं, जो जल और स्थल दोनों पर समान रूप से रहते हैं। इन कशेरुकियों के पैर विकसित होते हैं, जिससे ये स्थल पर भी चल सकते हैं।

(5) रेप्टिलिया (Reptilia) या सरीसृप वर्ग – इस वर्ग के अंतर्गत कछुआ, छिपकली, साँप और मगर आते हैं, जो स्थल पर अंडे देते हैं। इनके अंडे कवचित होते हैं।

(6) ऐवीज (Aves) या पक्षिवर्ग – इस वर्ग के अंतर्गत पक्षी आते हैं। ये लोग उड़नेवाले सरीसृपों के वंशज हैं।

(7) मैमैलिया (Mammalia) या स्तनी वर्ग – इस वर्ग के अंतर्गत मानव और मानव से मिलते जुलते अन्य प्राणी आते हैं। ये उष्ण रुधिरवाले, बड़े मष्तिष्कवाले जंतु हैं, जिनका शरीर वालों या समूर (fur) से ढँका रहता है। ये बच्चे जनते हैं और उनका लालन पालन करते हैं। इसी वर्ग के अंतर्गत एक गण प्राइमेटीज (primates), अर्थात् नर–बानर–गण, है, जिसमें नर, बंदर, कपि, लीमर आदि रखे गए हैं। मानव को एक अलग कुल होमिनिडी (Hominidae) में भी रखते हैं।

जन्तु-जगत

जन्तु जगत के अन्तर्गत जीव–जन्तुओं के प्रकार, उनकी उत्पति, उनका विकास सिरण तथा विनाश आदि का अध्ययन किया जाता है इसके लिए किसी क्षेत्र अथवा प्रदेश का चुनाव किया जाता है। पौधों एवं जन्तुओं में सबसे बड़े अन्तर उनकी स्थिरता तथा गतिशीलता से सम्बन्धित है। कुछ तैरने वाले जलीय पौधों को छोड़कर प्रायः सभी पौधे अपने स्थान पर स्थिर होते हैं जबकि स्थलीय तथा जलीय दोनों प्रकार के जन्तु अत्यधिक गतिशील होते हैं। अधिकांश पौधे स्वपोषित, प्रकाशपोषित तथा प्राथमिक उत्पादक होते हैं। इसके प्रतिकूल समस्त जन्तु परपोषित तथा उपभोक्ता होते हैं। ये तीन तरह के होते हैं–शाकाहारी या प्राथमिक उपभोक्ता जैसे भेड़, खरगोश गाय, बकरी, इत्यादि, मांसाहारी या द्वितीयक उपभोक्ता यथा शेर, भालू, चीता, बाघ, मेढक आदि तथा सर्वाहारी, खासकर मनुष्य, जो पौधों तथा जन्तुओं का प्रयोग करते हैं।

प्रत्येक जन्तु के जीवन का एक पूर्ण चक्र होता है जिसके तहत् हरेक जन्तु निश्चित समय में अपना प्रौढ़ रूप प्राप्त करता है। जन्तुओं में ज्यादातर गतिशीलता होती है लेकिन गतिशीलता की मात्रा अलग–अलग वर्ग के जन्तुओं में भिन्न होती है। इसके प्रतिकूल पौधे अपने स्थान पर स्थिर होते हैं। पौधों की तरह जन्तुओं का विपचय या उपापचय प्रकाशसंश्लेषी नहीं होता है, अर्थात जन्तुओं पौधों की तरह प्रकाशसंश्लेषण विधि से अपना आहार स्वयं निर्मित नहीं करते हैं बल्कि ये प्रकाशसंश्लेषी हरे पौधों पर शाकाहारी जन्तु तथा शाकाहारी जन्तुओं पर मांसाहारी जन्तु अपने आहार के लिए आश्रित रहते हैं। इस तरह पौधे उत्पादक तथा स्वपोषित होते हैं जबकि जन्तु परपोषित तथा उपभोक्ता होते हैं। सामान्य रूप से जन्तु अपना आहार चार स्रोतों से प्राप्त करते हैं–

(i) स्वपोषित हरे पौधों से जैसे चरने वाले शाकाहारी जन्तु जैसे–बैल, बकरी, गाय, खरगोश इत्यादि;

(ii) चरने वाले शाकाहारी जन्तुओं से जैसे–भालू, मनुष्य शेर, चीता, आदि;

(iii) मृत पौधो एवं जन्तुओं से वियोजक सूक्ष्म जीव; तथा

(iv) वपोषित पौधों से खाद्यान्न शाक सब्जी इत्यादि के रूप में तथा चरने वाले शाकाहारी जन्तुओं से माश के रूप में, दूध के रूप में आदि, ये सर्वहारी जन्तु होते हैं जैसे–मनुष्य।

जन्तुओं में वृहद् कोशिकाधानी अर्थात् कोशिका में खाली स्थान तथा दृढ़ कोशिका दीवाल का हमेशा अभाव होता है जबकि ज्यादा अलग–अलग कोशिकीय तथा बहुकोशिकीय पौधों में ये विशेषतायें वर्तमान होती हैं। जन्तुओं में बाहरी उद्दीपन (external stimuli) के प्रति त्वरित प्रतिक्रियात्मकता (rapid responsiveness) होती है यानि जन्तु बाह्य उत्तेजक क्रियाओं के प्रति काफी ज्यादा संवेदनशील होते हैं। अर्थात् यदि जन्तुओं को आग की लपट दिखाई जाये तो वे डर कर भागते हैं, चिड़ियाँ बन्दूक की आवाज सुनकर तुरन्त उड़ जाती है आदि। पौधों में ये गुण नहीं होते हैं।

जन्तुओं का उद्‌भव एवं विकास

आदि प्राणियों का उद्‌भव–प्राप्त जीवावशेषों के आधार पर ही जन्तुओं के उद्‌भव एवं विकास के विषय में हमें ज्ञान प्राप्त हो पाता है। यद्यपि इनके आधार पर प्राणियों की उत्पति के विषय में अंदाजा का ही सहारा लेना पड़ता है क्योंकि इन जीवावशेषों में बृहत पैमाने पर परिमार्जन एवं बदलाव हुए हैं। अनुमान किया जाता है कि आरम्भिक बिना रीढ़ वाले सुक्ष्मदर्शी प्राणियों का विकास कैम्ब्रियन युग में सागरीय पर्यावरण में हुआ होगा। इनके जीवावशेष बहुत कम मिलते हैं। जन्तुओं के जन्म तथा विकास के कालक्रम को निम्न रूप में स्पष्ट किया जा सकता है–

अन्तिम पूर्व कैम्ब्रियन युग–प्राचीनतम जीवों के अवशेष जो करीब 1,000 मिलियन वर्ष पुराने बताये गये हैं, अफ्रीका के जाम्बिया (H.Clemmay 1976) में पाये गये हैं। ये आदि जीव मलया से आहार ग्रहण करते थे चूंकि उस समय तक **प्रकाशसंश्लेषी** पादपों का विकास नही हो पाया था। मुलायम शरीर वाले रीढ़विहीन जन्तु यथा–Jelly Fish, Segmented Worms, Soft Corals आदि के अवशेष द. आस्ट्रेलिया के Ediacarra Hills में पाये

जाते हैं। इनकी तिथि आज से 680–580 मिलियन वर्ष पहले बतायी गयी है। इसी प्रकार के अवशेष वर्तमान आस्ट्रेलिया, यूरोप, अफ्रीका तथा उ. अमेरिका में भी पाये गये हैं (ज्ञातव्य है कि ये महाद्वीप वर्तमान समय में एक–दूसरे से दूर स्थित है इस प्रकार यह तभी सम्भव हो सकता है कि जबकि ये महाद्वीप उस समय आपस में मिले रहे होंगे)।

कैम्ब्रियन काल–आज से 600 मिलियन वर्ष पूर्व में भूमण्डल की जलवायु गर्म थी। सागरीय भागों में जीव का ज्यादा विकास हुआ। पादपों में शैवाल, कवक तथा बैक्टीरिया तथा प्राणियों में कई तरह के सुक्ष्मदर्शी जीव तथा रीढ़विहीन जन्तुओं एककोशिकीय जीव–प्रोटोजोआ, स्पजं, हाथों वाले सीप–brachiopods, sea urchins, sea cucumbers, starfish, कड़ी खोल में रहने वाले जीव Molluscus आदि का आविर्भाव हुआ। इस काल में trillobites की 100 जातियों का पता लगाया गया है। प्राणियों में सबसे महत्वपूर्ण trillobites एवं brachiopods थे।

आर्डोविसियन काल–आज से 500 मिलियन वर्ष पूर्व में अलवणीय जल में पहली बार रीढ़वाले प्राणियों का विकास हुआ। ये जीव बगैर जबड़े के तथा अस्थि कवच से युक्त शरीर वाले थे जिनका रूप मछली जैसा था। सागरीय भागों में घोंघा, मूँगा, स्पंज छिद्रयुक्त बाह्य त्वचा के आवरण से युक्त शरीर वाले जीव तथा स्याही समान जीवों का विकास हुआ। इस युग के जीवों में हाथों वाले सीप तथा सिर पर पैर वाले जीवों जैसे– घोंघा का प्रभुत्व था। स्थल पर जीवों का उद्भव नहीं हो पाया था।

सिलूरियन काल–आज से 440 मिलियन वर्ष पूर्व में जलवायु ठंडी होने लगी थी। भूगर्भिक घटनाओं में पर्वतीकरण महत्वपूर्ण था। स्थल स्थित आन्तरिक सागरों में पादपों का पर्याप्त विकास हुआ जिनमें शैवाल का प्रभुत्व था। याद रहे कि इस युग के सागरीय पादपों में से कुछ में जड़ जैसी संरचना का निर्माण भी हो गया जिस कारण इन आन्तरिक सागरों के समीपी शुष्क स्थलीय भागों पर इन पादपों का विकास तथा औपनिवेशीकरण शुरू हो गया और इस तरह सबसे पहले स्थलीय पादप का आविर्भाव हुआ। इस तरह वानस्पतिक विकास के कारण पर्याप्त भोजन सुलभ हो जाने की वजह से के प्राणियों का आविर्भाव हुआ जिनमें अनेक हाथों वाले मांसाहारी घोंघेदार प्राणी सर्वप्रथम थे। इसके 5 मीटर की लम्बाई तक की खोल के अवशेष मिले हैं। इनके अतिरिक्त विभिन्न तरह के घोंघे जैसे–Snails, brachipods, graptolites, jellifish, मांसाहारी सागरीय लिली, मूंगा, बृहद्‌ाकार बिच्छू आदि का उद्‌भव हुआ।

डिवोनिनन काल–आज से 400 मिलियन वर्ष पूर्व में प्रारंभिक प्राणियों के जीवन रूप में बहुत विकास हुआ। आद्य मछलियों में अस्थि वाले गिल्स का निर्माण हुआ जो आगे चलकर जबड़ों के रूप में परिवर्तित गया। अलवण जल में रहने वाले मछलियों में अब अपना शिकार करने के लिए आक्रमण करने की आदत तथा क्षमता, एक दूसरे से संघर्ष करने की क्षमता आदि भी आ गयी। इस युग में सबसे पहले उभयचर जीवों तथा मकड़ों का उद्‌भव हुआ। पहले से उद्‌भव मछलियों में व्यापक प्रसार एवं विस्तार हुआ। भूमण्डल पर प्रायः समान जलवायु का वितरण था लेकिन शुष्कता में वृद्धि हुई। फलस्वरूप स्थलीय जीवों में सूखे की लम्बी अवधि को बर्दाशत करने तथा उनके साथ अनुकूलन में क्षमता भी आ गयी। स्थलीय भागों पर ऊँचे वृझों तथा फर्न सदृश पौधों वाले वनों के घने आवरण का प्रथम बार विकास हुआ। अतः वनस्पति में विविधता के साथ ही प्राणियों की संख्या तथा उनकी जाति में विकास हुआ विविध विभिन्न तरह के कीटों जैसे–कुटकी, असंख्य पैरों वाले कीट तथा नाना–प्रकार के कीट पतंगों का जन्म एवं विकास हुआ। जलीय मछलियों के कुछ खास तरह प्रकारों यथा–Lobe-finned fish तथा दुमदार पूँछ वाले जलभूमिया प्राणियों का आविर्भाव हुआ।

कार्बानिफरस काल–आज से 350 मिलियन वर्ष पूर्व में संपूर्ण स्थलीय भाग द्वितीय पैंजिया के रूप में सलंग्न थे। गोण्डावानालैंड का हिमानीकरण आरंभ हो गया जिस कारण प्राणियों की विभिन्न जातियों का विलोप हो गया। हिमानीकरण के पूर्व स्थलों पर वृझों वाले वनों का घना आवरण विकसित हो गया था जिस कारण प्राणियों की संख्या में काफी वृद्धि तथा उनकी जातियों में पर्याप्त विविधता का सुत्रपात हुआ। कीटों की संख्या में विकास हुआ तथा पेट के बल रेंगने वाले जीवों का आविर्भाव हुआ। कीटों में कुछ का बृहद्‌ाकार कीट भक्षी जैसे–व्याध पतंग (giant dragonflies) के रूप में विकास हो गया। इसी तरह कीट भक्षी बड़े आकार वाले मकड़ों का जन्म हुआ। स्थल पर जलभूमिया जीव यथा–मेढ़क सर्वप्रथम थे। इन जलभूमिया जीवों में काफी विस्तार हुआ तथा इनमें से ही कुछ रेप्टाइल्स के रूप में विकसित हो गये। ज्ञातव्य है कि कार्बानिफरस युग में विकसित अयनवर्तीय वनों के जमीन में दब जाने की वजह से ही उ. गोलार्द्ध में ज्यादा कोयले का निर्माण हुआ है। कार्बानिफरस युग के उत्तरार्द्ध में गोण्ड्वानालैंड़ की जलवायु में परिवर्तन हुआ

तथा ज्यादा भाग का हिमानीकरण हो गया जिस कारण कई जातियों का विलोप हो गया लेकिन जो प्राणी इस विपरीत पर्यावरण को सहन करने के बाद बच गये वे अत्यधिक शक्तिशाली हो गये।

पर्मियन काल–आज से 270 मिलियन वर्ष पूर्व के आरम्भिक चरण में समस्त गोण्डवानालैंड हिमाच्छादित था। समस्त स्थलीय भाग द्वितीय पैंजिया के रूप में सलंग्न थे। इस काल में स्थलीय भागों पर पर्वतों का निर्माण, उनका अपरदन, रेगिस्तानों का आविर्भाव, कार्बानिफरस हिमकाल की हिम चादरों का प्रसार तथा निवर्तन सम्बन्धी घटनायें होती रहीं जिनका प्रभाव पादप एवं प्राणि जीवन पर इतना ज्यादा हुआ कि कुछ तो लुप्त हो गय तथा इन बदलती विषम पर्यावरण दशाओं को झेलकर बचे हुए प्राणियों में विविधता का सुत्रपात हुआ। अब भी जलभूमिया प्राणी सर्वप्रथम बने रहे। पेट के सहारे रेंगने वाले प्राणियों की संख्या में विकास हुई तथा कुछ में इतना परिमार्जन हो गया कि उनमें आरम्भिक स्तनधारी प्राणियों जैसी विशेषतायें आ गयीं। इनमें तेज चलने, दौड़ने तथा जल में तैरने के गुण विकसित हो गये।

ट्रियासिक काल–आज से 225 मिलियन वर्ष पूर्व में यद्यपि पैंजिया का लारेशिया तथा गोण्डवानालैंड में विभाजन हो गया तथापि कुछ स्थलों द्वारा ये जुटे रहे। विश्वस्तरीय उष्ण कटिबन्धीय एंव उपोष्ण कटिबन्धीय जलवायु एवं विभिन्न रेगिस्तानों का आविर्भाव हुआ। रीढ़ विहीन प्राणियों की संख्या में खासकर संधिपाद जैसे–मकड़ा तथा कीट–पतंग में अपार बढ़ोतरी हुई। जल में तैरने वाले रेप्टाइल्स का जन्म हुआ। कुछ रेप्टाइल्स में उड़ने का गुण भी विकसित हो गया जिनसे आगे चलकर पक्षियों का प्रादुर्भाव हुआ।

जुरैसिक काल–आज से 180 मिलियन वर्ष पूर्व में विश्वव्यापी गर्म जलवायु का विस्तार एवं महाद्वीपों का प्रवाह आरंभ हुआ। आर्द्र जलवायु की वजह से कोणधारी, फर्न एवं cycad वनों का विस्तार हुआ तथा कुछ में पुष्पी पौधों जैसी सरंचना का विकास होने से कीटों के जीवन–रूप में विविधता की शुरूआत हुई। इस तरह शाकाहारी प्राणियों में इतना विस्तार हुआ कि लघु आकार वाले कीटों से वृहद्ाकार डाइनोसार का विकास हुआ। **डाइनोसार** का वास्यक्षेत्र अर्द्धजलीय एवं स्थलीय भाग थे। आगे चलकर सागर में रहने वाली जाति का भी विकास हुआ। डाइनोसार सबसे पहला प्राणी था। उड़ने वाले गुणों से युक्त कुछ रेप्टाइल्स से आदि पक्षियों का विकास हुआ। इसी काल में प्रथम छिपकली तथा आधुनिक घड़ियाल का विकास हुआ। आदि स्तनधारी प्राणियों का विकास आरंभ हो गया। इस

युग की सबसे प्रमुख विशेषता यह है कि पहली बार कुछ प्राणियों में जीवित सन्तानों को जन्म देने की विद्या विकसित हो गयी थी।

क्रीटैसियस काल–आज से 135 मिलियन वर्ष पूर्व में गोण्डवानालैंड का पूरा वर्गीकरण हो गया। आन्तरिक सागरों एवं दलदलों का विस्तार हुआ। वनस्पतियों में पुष्पीपौधों में वृद्धि तथा कोणधारी वनों में गिरावट हुआ। प्राणियों में रेप्टाइल्स में ह्रास तथा डाइनोसार में चरम विकास हुआ। स्तनधारी प्राणियों का विकास धीमी गति से होता रहा। सबसे अधिक विकास तथा विस्तार कीटभक्षी प्राणियों में हुआ। इन्हीं से कुछ का गर्भधारण करने वाले प्राणियों में परिवर्तन हो गया। अलवण जल तथा सागरीय जल में अस्थि युक्त मछलियों की विभिन्न जातियों का विकास हुआ। अग्नि सहन करने वाले पूंछ युक्त जहरीले रेंगले वाले प्राणी का आविर्भाव हुआ।

टर्शियरी कल्प युग–इस कल्प में इयोसिन, ओलिगोसिन, मायोसीन तथा प्लायोसिन युगों को सम्मिलित किया जाता है, इसी कल्प में विश्व के आज के उच्चतम वलित पर्वतों एवं रॉकीज, एण्डीज, अल्पाइन श्रृंखला, हिमालय आदि का निर्माण हुआ, महाद्वीपों का प्रवाह तथा सागर–नितल का प्रसरण बृहत पैमाने पर हुआ तथा वर्तमान महाद्वीपों एवं महासागरों की स्थितियों का निर्धारण हुआ। यद्यपि ये स्थितियाँ भी स्थायी नहीं है चूंकि सागर–नितल प्रसरण, पुराचुम्बकीय प्रमाणों एवं प्लेट संचलन के प्रमाणों के आधार पर यह सत्यापित हो गया है कि महाद्वीपों तथा महासागरों की स्थितियाँ हमेशा परिवर्तनशील है।

इयोसिन काल–आज से 70 मिलियन वर्ष पूर्व के आरम्भिक काल में जलवायु प्रदेशों का पूर्णरूपेण विकास हो गया था तथा स्थलीय भागों का बृहत पैमाने पर अपरदन शुरू हो गया। वनस्पति जगत में पुष्पी पौधों का पूर्ण विकास हुआ तथा स्तनधारी प्राणियों का विकासीय प्रस्फोट अर्थात् इनकी संख्या, जाति एवं क्षेत्रीय विस्तार में तेजी से वृद्धि हुई हुआ। मालूम है कि पैंजिया की अवस्था में **अनावृत्तबीजी** पादपों तथा रेप्टाइल्स प्राणियों का प्रभुत्व था जबकि इन महाद्वीपों के पृथक् हो जाने पर **पुष्पी** पादपों तथा **स्तन धारी** प्राणियों का प्रभुत्व हो गया। इयोसिन युग के आरम्भिक चरण में गर्भ में अपने सन्ततियों का पोषण करने वाले स्तनधारी प्राणियों, खासकर कीटभक्षी तथा शाकाहारी प्राणियों में पर्याप्त विविधता का सूत्रपात हुआ। प्राचीनतम मांसाहारी स्तनधारी प्राणियों का आविर्भाव हुआ। इनके साथ ही खुर वाले प्राणी तथा **कुतरने वाले तीक्ष्णदन्त जन्तु** वर्तमान चूहा, गिलहरी आदि का आरम्भिक

रूप के समान प्राणियों का विकास हुआ। इयोसिन युग के उत्तरार्द्ध में भी स्तनधारी जन्तुओं में विविधता बढ़ती रही तथा खुरवाले यथा–हिरण तथा अन्य घास चरने वाले पशु एवं असमान खुरवाले जैसे–घोड़ा, गैण्डा, हिप्पोपोटामस आदि शाकाहारी जानवरों का विकास हुआ। मालूम है कि इयोसीन काल में जन्तुओं का प्रादेशिक रूप स्थापित हो गया था। जैसे–अफ्रीका में हाथी, एशिया में जल–घोड़ा, उत्तरी अमेरिका में घोड़ा, द. अमेरिका में armadillos आदि।

ओलिगोसीन काल–आज से 40 मिलियन वर्ष पूर्व में भी वृहत् क्षेत्रों पर गर्म जलवायु का विस्तार था। परन्तु अल्पाइन पर्वतों की ऊँचाई में लगातार वृद्धि की वजह से जलवायु शीतल होने लगी जिस वजह से उत्तरी गोलार्द्ध से उष्ण कटिबन्धीय वनस्पतियों का निवर्तन हो गया। आधुनिक स्तनधारी जन्तुओं का विकास हुआ।

मायोसीन काल–आज से 25 मिलियन वर्ष पूर्व में शीतल जलवायु का विकास होने लगा, घास क्षेत्रों में विकास तथा वन क्षेत्रें में ह्रास हुआ। स्तनधारी जन्तुओं की संख्या तथा जाति में वृद्धि हुई। बेरिंग जलडमरूमध्य से होकर एशिया से हाथी समान जानवर का उत्तरी अमेरिका में प्रवास हुआ।

प्लायोसीन काल–आज से 11 मिलियन वर्ष पूर्व में अयनवर्ती क्षेत्र के दोनों ओर शीत तथा शीतोष्ण जलवायु का विकास हुआ। झाड़ियों एवं घास क्षेत्रों में विस्तार हुआ। स्तनधारी, नरपशु तथा अफ्रीकी वनमानुष की संख्या में काफी विकास हुआ।

चतुर्थक काल–आज से लगभग 1,00,000 वर्ष पहले से वर्तमान समय तक, इसके तहत प्लीस्टोसीन–1,00,000 वर्ष पूर्व से 10,000 वर्ष पूर्व तक तथा होलीसीन–10,000 वर्षपूर्व से वर्तमान समय तक दो युग पृथक् किये जाते हैं। जलवायु में विश्वव्यापी बदलाव हुआ, जिनका वनस्पति तथा प्राणियों के वितरण पर प्रभाव पड़ना अत्यावश्यक था। इस कल्प की सबसे बड़ी खासियत यह रही कि परिवर्तित पर्यावरण के कारण प्राणियों एवं वनस्पतियों में अनेक बार विसरण तथा वितरण एवं पुनर्वितरण हुए। क्वाटरनरी कल्प के उत्तरी अमेरिका में हाथी तथा गैण्डा वर्तमान थे परन्तु जंगली भैसा एवं बारहसिंगा उपस्थित नहीं थे लेकिन वर्तमान समय में हाथी तथा गैण्डा का लोप हो गया है तथा जंगली भैंसा एवं बारहसिंगा बड़ी संख्या में पाये जाते हैं।

प्लीस्टोसीन काल अपने महा हिमकाल के लिए प्रसिद्ध है जिस समय

उत्तरी गोलार्द्ध के महाद्वीपीय भागों के जयादातर उत्तरी भागों का हिमानीकरण हुआ था। संपूर्ण चार बार हिमचादर का प्रसार (उपहिमकाल–उत्तरी अमेरिका में–कन्सान, नेब्रास्कन, इलीनोइयन तथा विसकान्सिन हिमयुग, यूरोप में–गुंज, मिण्डेल, रिस तथा उर्म हिम युग तथा चार बार हिग चादरों का निर्वतन हुआ। हिमानीकरण के परिणामस्वरूप सागर–तल में ह्रास हुआ। इस हिमकाल के वक्त जलवायु के अतिशर्द होने तथा हिमचादरों के आगे बढ़ने तथा पीछे लौटने का प्राणियों पर दो प्रकार का प्रभाव हुआ–(i) कुछ प्राणियों का विलोप हो गया जैसे–वृहदाकार प्राणी–डाइनोसार, (ii) तेज चलने वाले प्राणियों में जो विषम जलवायु के प्रकोप से बच सकते थे तीव्रता से प्रवास होने से विसरण हुआ और इस समय जाति उद्‌भवन होने से विभिन्न जातियों का उद्‌भव हुआ। उत्तरी अमेरिका के हिमानीकरण के परिणामस्वरूप कई जन्तुओं यथा बिल्ली, भालू, अमेरिकी मांसाहारी रीछ, घोड़े तथा अमेरिकी सूअर का उत्तरी अमेरिका से दक्षिणी अमेरिका में प्रवास होने से वहाँ के विभिन्न जन्तुओं का विलोप हो गया। प्लीस्टोसीन हिमानीकरण का प्रभाव उ. पू. साइबेरिया तथा उत्तरी पश्चिमी अलास्का पर नहीं हुआ था। इस प्रकार एशिया से बेरिंग जलडमरूमध्य से होकर उत्तरी अमेरिका में भालू, श्वेत पूँछ वाले हिरन, बारहसिंगा, जंगली भैंसा, सैगा, विशालकाय पुराहाथी तथा आगे चलकर मनुष्य का विसरण हुआ।

उत्तरी अमेरिका से ऊदविलाव या बनविलाव तथा ऊँट का यूरेशिया में प्रवास तथा विसरण हुआ है। उत्तरी अमेरिका तथा द. अमेरिका के बीच मध्य अमेरिका स्थल के रूप में था जिससे होकर इन महाद्वीपों के कुछ जन्तुओं का एक दूसरे में विसरण हुआ। उदाहरण के लिए दक्षिणी अमेरिका से Porcupines, Armadillos, Glyptodonts, Ground Sloths का उत्तरी अमेरिका में तथा उत्तरी अमेरिका से मांसाहारी रीछ, बिल्ली, भालू, घोड़े, जलघोड़ा, लामास आदि का द. अमेरिका में विसरण हुआ।

आधुनिक मनुष्य का विकास आज से करीब 10,000 वर्ष पहले हो गया था, लेकिन उसके विकास की आरम्भिक कड़ी प्रारंभिक इयोसीन युग है जिसमें Primate Prosimians तथा मनुष्य के समान जन्तुओं का विकास हुआ। ओलिगोसीन काल में प्रासीमियन्स से वृक्ष पर रहने वाली छछून्दर, लंगूर एवं बन्दर का विकास हुआ। इयोसीन युगीन मनुष्य समान जन्तुओं से आगे चलकर नई दुनिया (उ. तथा द. अमेरिका) के बन्दरों का विकास हुआ। Primate Prosimians से विकरित तीसरी शाखा, नरपशु का विकास हुआ।

इस Hominoidea से **प्लायोसीन** काल में पुनः दो शाखायें विकसित हुईं–पुच्छहीन बन्दर, कपि–मानव एवं पूर्व–मानव। पुच्छहीन बन्दरों से अन्तिम प्लीस्टोसीन में गिबन, ओरैंग, गोरिल्ला तथा चिम्पैंजी का विकास हुआ जबकि कपिमानव से आधुनिक मानव का विकास हुआ। साधारण रूप में पूर्वी मध्य अफ्रीका को **मानव जाति** की उत्पत्ति का मूल स्थान माना जाता है। आज से करीब 40,000 वर्ष पूर्व लेकिन दक्षिणी आस्ट्रेलिया के तटीय भाग के क्लिफ पर मिले कुछ सागरीय जीवों के अवशेषों के आधार पर आस्ट्रेलियाई मानवविज्ञानी **अलन थार्न** एवं अन्य विशेषज्ञों यथा–John Sherwood, Edmund Gill, Josephine Flood आदि का विचार है कि आज से करीब 60,000 से 85,000 वर्ष पहले आस्ट्रेलिया में आदि मानव का विकास हो चुका था।

जन्तुओं का वर्गीकरण

जन्तुओं का वर्गीकरण अलग–अलग आधारों पर अलग–अलग रूपों में किया जाता है। इनके पदानुक्रमिक या सौपानिक वर्गीकरण का मुख्य आधार जन्तुओं में समानता समरूपता तथा उनमें परस्पर सम्बन्ध है। इस तरह उच्चस्थ से निम्नस्थ क्रम में जन्तुओं को सौपानिक आधार पर 7 प्रकारों में विभाजित किया गया है–

(i) संघ,
(ii) जन्तु जगत,
(iii) कोटि,
(iv) वर्ग,
(v) जाति,
(vi) वंश तथा
(vii) परिवार।

जन्तुओं के निम्न मुख्य संघ हैं–

(1) एक कोशिकीय सूक्ष्म जीव–इनके तहत् एक कोशिका वाले अति सूक्ष्मदर्शी जीवों को शामिल करती हैं। इनकी वर्तमान समय में 30,000 ज्ञात जातियाँ है। इनमें से ज्यादा जलीय जीव होते हैंजो ताजे तथा खारे जलीय आवास में रहते हैं।

(2) बिना उदर वाले जीव–इसके तहत उन जन्तुओं को शामिल करते हैं जिनमें उदर (पेट) नही होते हैं। इनकी ज्ञात जातियाँ 9,600 हैं। ये

मुख्य रूप से खारे जल में रहते हैं। कुछ जीव ताजे जल में भी रहते हैं। यथा–hydra. ये जन्तु मांसाहारी होते हैं। Hydra,Jell fish, Sennbemone, Corals आदि प्रमुख उदाहरण हैं।

(3) चपटा आकार कृमि अथवा कीट–इसके अन्तर्गत कृमि (worms), चपटे कृमि (flatworm), फीताकृमि (tapeworms). जिगरकृमि (liver flukes) आदि को शामिल करते हैं। इनका शरीर अत्यंत लम्बा होता है तथा ये ताजे जल में रहते हैं। इनकी ज्ञात जातियाँ 15,000 है। ये ज्यादातर परजीवी (parasites) होते हैं।

(4) छल्ले जैसे जोड़ से युक्त शरीर वाले लाल खून वाले कीड़े–ये छल्लेदार खंडित संरचना वाले लम्बे शरीर के लाल वाले कीड़े होते हैं। इस संघ के सागर में रहने वाले जीवों की आंखें तथा पुच्छक (appendages) भी होते हैं। इनकी ज्ञात जातियाँ 7,000 है। इनके निवास क्षेत्र विभिन्न तरह के होते हैं। यथा–सागरीय जल, अलवणीय (ताजा) जल, स्थल आदि। केंचुआ, रक्त चूसक कृमि यथा जोंक–leech आदि इस संघ के प्रमुख उदाहरण हैं।

(5) संधिपाद जन्तु–ये जन्तु Annelida के समान खण्डित तथा छल्लेदार शरीर वाले तो होते हैं लेकिन इनमें जोड़ वाले पैर भी होते हैं तथा इनके शरीर में बाह्य अस्थिपंजर भी होता है। इनकी ज्ञात जातियाँ 7,65,000 हैं। इनको निम्न 3 **वर्गों** में विभाजित किया गया है–

(i) **अष्टपाद कीट**–इनमें चार जोड़े होते हैं। जैसे–मकड़ा–मकड़ी, बिच्छु आदि। ये अधिकतर स्थल पर ही रहते हैं।

(ii) **कीट समूह**–इनमें चलने के लिए तीन जोड़े पैर होते हैं। कई प्रकार के कीटों में उड़ने के लिए पंख भी होते हैं। यद्यपि ये आकार के छोटे होते हैं लेकिन ये अत्यधिक प्रमुख जन्तु होते हैं क्योंकि ये मानव के लिए हानिकर होते हैं। ज्यादा कीट स्थल पर निवास करते हैं। यथा–टिड्डी पतिंगा। कुछ कीट मानव के लिए फायदेमंद भी होते हैं। जैसे–मधुमक्खी, तितली आदि।

(iii) **वल्कमय जानवर**–इनमें पैरों के पाँच या उससे अधिक जोड़े (युग्म–pairs) होते हैं (जैसे–लाबस्टर, केकड़ा, झींगा, मछली – crayfish, prawn आदि)। अधिकतर ये जलीय आवास में रहते हैं।

(6) Phylum Mollusca (नाजुक शरीर वाले किन्तु कड़ी खोल में रहने वाले जन्तु, जैसे घोंघा)–ये जीव कोमल शरीर वाले होते हैं जिनके

अंग (organs) अत्यन्त नाजुक होते हैं। ये कड़ी खोल के भीतर रहते हैं। ज्यादा जलीय आवास में रहते हैं। इनमें प्रमुख हैं Calm, Snail, Aplysia, Octopus आदि। इस वर्ग की 1,00,000 ज्ञात जातियाँ हैं।

(7) Phylum Echinodermeta (शल्यचर्म जीव)–ये रीढ वाले चमड़ीदार जीव होते हैं। इनमें मुख्य हैं Starfish, Sea, Cucumber, Sea Lilies आदि। इस वर्ग के समस्त जीव सागरीय आवास में रहते हैं तथा इनकी ज्ञात जातियाँ 5,700 हैं।

(8) Phylum Chordata (हड्डी वाले तथा रीढ़दार जीव)–इनके पाँच वर्ग होते हैं तथा इनमें वृहत जानवर प्रमुख होते हैं। इनकी ज्ञात जातियाँ 45,000 है।

(i) Pisces **(मछलियाँ)**–ये ठंडे खून वाले रीढ़दार जीव होते हैं तथा सदा जल में रहते हैं। इनमें मछलियाँ आती हैं जो गलफड़े (gills) से साँस लेती हैं। जबड़ा–विहीन (jawless) मछलियों के वर्ग को Agnatha तथा जबड़ायुक्त तथा हड्डियों वाली मछलियों को Osteichthyes कहते हैं।

(ii) Aves **(पक्षी)**–ये गर्म र त वाले तथा सांस लेने वाले रीढ़दार जन्तु होते हैं। इनके पैर तथा पंख होते हैं। ये स्थल निवासी होते हैं।

(iii) Amphibia **(जलभूमिया प्राणी)**–ये जीव स्थल तथा जल दोनों में रहते हैं परन्तु अंडे जल में ही देते हैं यथा–मेढ़क।

(iv) Reptilia **(पेट के सहारे रेंगनेवाले जीव)** ये ठंडे रक्त वाले, शल्कमय या छिलकेदार (scaly) रीढ़ वाले जन्तु होते हैं यथा–सांप, मगरमच्छ, छिपकली, गिरगिट (lizards) आदि। इनमें से ज्यादा स्थलीय आवास में रहते हैं (मगर तथा घड़ियाल जल थल दोनों में रहता है)।

(v) Mammalia **(स्तनधारी प्राणी)**–ये गर्म रक्त वाले, वायु में सांस लेने वाले रीढ़दार जानवर होते हैं। इनका शरीर रोयें तथा बाल से ढका रहता है। इनके स्तन होते हैं (चाहे नर या मादा) लेकिन दूध का स्राव केवल मादा में ही होता है।

मादा बच्चे देती है जो उसके स्तन से दूध चूसकर (शुरू में) आहार ग्रहण करते हैं। इनके तीन उपभाग किये जाते हैं–(अ) Monotermes, (ब) Marsupials (शरीर के साथ संलग्न थैली में बच्चे रखने वाले जानवर, यथा –कंगारू) तथा (स) Placentas गर्भ नली वाले जानवर)। इस वर्ग के तहत लघु (बिल्ली, कुत्ता) से लेकर वृहदाकार (भैंस,

गाय, बैल, शेर, चीता, हिरण, हाथी, भालू, चिम्पैन्जी आदि) जानवर आते हैं। मनुष्य इस वर्ग का सबसे ज्यादा विकसित तथा बुद्धिमान जानवर है।

प्राणियों का विभाजन वास्य क्षेत्रों के आधार पर **जलीय प्राणी** (aquatic animals) तथा **स्थलीय प्राणी** (terrestrial animals) में किया जा सकता है। आहार पोषण के आधार पर इन्हें तीन वर्गों में विभक्त किया जा सकता है–**शाकाहारी** (herbivores), **मांसाहारी** (carnivores) एवं **सर्वाहारी** (omnivores, मनुष्य)। संरचना के आधार पर इन्हें **रीढ़रहित** (invertebrates) एवं रीढ़वाले (vertibrates) दो वर्गों में रखा जा सकता है।

जन्तुओं का विश्व-वितरण

जीवमण्डल में प्राणियों के वितरण का अध्ययन विभिन्न रूपों में किया जा सकता है। यथा–क्षेत्र विशेष में किसी खास जाति के सभी सदस्यों के वितरण का प्रारूप। इस नजर से विश्व को प्राणिजाति के आधिक्य अथवा प्रभुत्व के आधार पर अनेक वितरण क्षेत्रों, में विभक्त किया जाता है। प्राणियों के वितरण का प्राणि समुदाय के स्तर पर भी अध्ययन किया जाता है। प्राणि–समुदाय के तहत किसी क्षेत्र विशेष की समस्त जातियों के सभी सदस्यों का सामूहिक अध्ययन किया जाता है। प्राणियों के वर्तमान विश्व स्तरीय वितरण के उल्लेख के पहले उनके वितरण को प्रभावित करने वाले कारकों का अध्ययन जरूरी होता है।

विश्वस्तर पर स्थलीय जन्तुओं का वितरण

अगर विश्वस्तर पर प्राणियों के वितरण को देखा जाये समस्त जीवमण्डल एक इकाई बनता है जो वृहतम प्राणि समुदाय का प्रतिनिधित्व करता है। इसे पुनः दो मुख्य प्राणि भौगोलिक प्रदेशों में विभक्त किया जाता है–स्थलीय प्राणिमण्डल तथा जलीय प्राणिमण्डल। स्थलीय प्राणियों के आधार पर विश्व को पुनः वृहद् प्राणि प्रदेशों में वर्गीकृत किया जाता है। ज्ञातव्य है कि प्राणि प्रदेशों का यह मतलब नहीं है कि अमुक प्रदेश में किसी खास जाति अथवा परिवार या कोटि के सभी प्राणी का समान वितरण होता है तथा ये प्राणी किसी एक प्रदेश में ही पाये जाते हैं, अन्यत्र नहीं मिलते हैं। वास्तव में जाति उद्भवन, प्रवास, विसरण तथा विलोपन साथ–साथ प्राणी विकास के हर चरण

में क्रियाशील रहते हैं, फलस्वरूप प्राणियों का विश्ववितरण सरल न होकर अत्यन्त जटिल हो जाता है। इसके होते हुए भी संसार में प्राणियों के कुछ खास मंडल जरूर होते हैं जिनमें प्राणियों में उभय विशेषतायें होती हैं। इनके आधार पर अलग–अलग प्राणि प्रदेशों का निर्धारण किया जाता है। प्राणियों के विश्व–वितरण प्रतिरूप के अध्ययन में निम्न तथ्यों पर ध्यान दिया जाता है–

(i) प्राणियों का केन्द्रण (concentration) मुख्य रूप से स्तनधारी प्राणियों (mammals) में ही सम्भव हुआ है, अन्य प्राणियों का वितरण विस्तृत रूप में पाया जाता है।

(ii) कुछ प्राणियों का वितरण असम्बद्ध रूप में तथा कुछ का सम्बद्ध रूप में पाया जाता है। जैसे–Moose (एक प्रकार का हिरन) का वितरण युरेशिया एवं उ. अमेरिका के टैगा प्रदेश में सम्बद्ध मण्डलीय प्रतिरूप (continuous zonal pattern) में पाया जाता है जबकि Azure-winged magpie, Weather fish तथा Bitterling का वितरण असम्बद्ध रूप में पाया जाता है। इनके दो असम्बद्ध मंडल पाये जाते हैं–एक मध्य तथा पश्चिमी यूरोप में तथा दूसरा पूर्वी एशिया में। इन दोनों मंडलों के बीच विस्तृत भूभाग इन प्राणियों से रहित है।

(iii) प्राणियों के वितरण में कटिबन्धीय प्रतिरूप (zonal pattern) पाया जाता है। यह कटिबन्धीय प्रतिरूप क्षैतिज (horizontal) तथा लम्बवत (vertical) दोंनों रूपों में होता है। क्षैतिज मंडलीय प्रतिरूप में अक्षांशों का नियन्त्रण सबसे अधिक होता है। जातियों की विविधता विषुवत रेखा से ध्रुवों की ओर घटती जाती है। मालूम है कि भूमध्य रेखा से ध्रुवों की ओर प्राणि मण्डलों (animal zones) का विकास भूमध्य रेखा की ओर मण्डलों से निकली जातियों से हुआ है। यह मंडलीय विकास मुख्य रूप से प्राणियों के प्रवास तथा जाति उद्‌भवन द्वारा सम्भव हुआ है। जैसे–शीतोष्ण कटिबन्धीय प्राणियों का विकास उष्ण कटिबन्धीय प्राणियों के प्रवास के समय व्यवकलन द्वारा होता है।

(iv) किसी भी क्षेत्र में प्राणियों में विविधता उनके विसरण तथा औपनिवेशकरण के फलस्वरूप हुई है।

(v) द्वीपों पर विशिष्ट तरह के प्राणी पाये जाते हैं चूंकि सागरीय बाधाकी वजह से इनमें प्राणियों एवं पादपों का कम विसरण हुआ है। हवाई द्वीप में रेप्टाइल्स, जलभूमिया जन्तु अलवण जल की मछलियाँ तथा स्तनधारी प्राणियाँ पूरी तरह अनुपस्थित हैं।

(vi) प्राणियों की उत्पत्ति केन्द्र ... प्राणियों का वितरण सकेन्द्री... प्रसरण हुआ है। परिणामस्वरूप

(vii) भौतिक पर्यावरण दशायें प्राणियों ... के रूप में पाया जाता है। विविधता (diversity) आदि को संख्या, प्रचुरता (abundance), विविधता उष्ण कटिबन्धीय भागों में स्थली... करती है। सर्वाधिक ... अलवण जलीय क्षेत्रों (fresh waters) के रीढ़ वाले (vartebrates) ...यों में मिलती है।

विश्व को प्राणि प्रदेशों या जन्तु प्रदेशों में विभा... करने का पहला सफल कोशिश A. R. Wallace ने 1876 में किया था। इसके पश्चात P.J. Darlington ने 1957, S.C. Kendeigh ने 1961, W. George ने 1962, De Lattin ने 1967, W.T.Neil, M.D.F.Udavardy ने 1969 तथा J.Ilies ने 1974 में विश्व को प्राणी प्रदेशों में विभाजित किया लेकिन आज भी वैलास का विभाजन सर्वाधिक मान्य है। विश्व को 6 महत्वपूर्ण प्राणी प्रदेशों में विभाजित किया जाता हैं। ये क्षेत्र निम्नलिखित हैं–

(1) पुराआर्कटिक क्षेत्र–इसके तहत यूरोप तथा मध्य एवं उत्तरी एशिया को शामिल करते हैं। इसमें 28 रीढ़वाले परिवार (chordate families) पाये जाते हैं। इस क्षेत्र की मुख्य प्राणियाँ रूसी कस्तूरी बिज्जू (desmans), यूरेशिया का dormice, रूमसागरीय क्षेत्र का mole rats, saiga and chiru antelope (एक तरह का हिरन), acentors, crocodile, lizards आदि हैं। इस क्षेत्र में रैप्टाइल्स की संख्या कम पायी जाती है। वनस्पति के आधार पर इस प्रदेश को दुबारा पाँच उप–प्रदेशों में विभक्त किया जाता है–

(i) **कोंणधारी (शीतोष्ण) वन क्षेत्र**–moose, mule, deer, lynx आदि प्रमुख प्राणियाँ है।

(ii) **टुन्ड्रा क्षेत्र**–इसमें caribou, lemming, musk-ox,actic,hare, wolf, arctic, fox, polar, bear आदि प्राणियाँ पायी जाती है।

(iii) **पतझड़ वन क्षेत्र**–racoons, opposum, red, fox, black bear आदि प्रमुख है।

(iv) **शीतोष्ण कटिबन्धीय घास प्रदेश**–saiga, wild ass, horse, camel, zerboa, hamster, jackal प्रमुख जन्तु हैं।

(v) **मरू क्षेत्र**–lizards, snakes, zebra, hamster, hedgehog, rat, cottontail आदि प्रमुख है।

पुरा आर्कटिक क्षेत्र में समस्त रीढ़ वाले प्राणियों के 136 परिवार, स्तनधारी प्राणियों के 100 वंश (genera) तथा पक्षियों के 174 वंश पाये जाते

हैं। इनके अतिरिक्त सम्पूर्ण री... स्तनधारी एवं पक्षियों के क्रमशः 3 विचित्र परिवार, 35 विचित्र वं... 57 विचित्र वंश पाये जाते हैं।

(2) नूतन आर्कटि...–इस प्रदेश के तहत उत्तरी अमेरिका एवं ग्रीनलैंड को सम्मिलित कि...जाता है। पुरा आर्कटिक तथा नूतन आर्कटिक प्रदेशों में पर्याप्त क्षेत्र ...जाती है। टर्शियरी तथा प्लीस्टोसीन युग में ये दोनों प्रदेश बेरिंग ज...मरूमध्य के स्थलसेतु (land bridge) द्वारा सम्बन्धित थे जिस कारण दो... क्षेत्रों में प्राणियों का विसरण एक दूसरे क्षेत्र में सम्भव हुआ। परिणामस्...प जातियों (species) में पर्याप्त मिश्रण हुआ। जैसे–अमेरिकी एवं यूरोपीय bisons आपस में लैंगिक सम्पर्क द्वारा प्रजनन करते हैं। दोनों प्रदेशों में सालमन तथा ट्राउट पाय जाते हैं कुछ लोग दोनों प्रदेशों को उत्तर ध्रुवीय प्रदेश (Holarctic region) के रूप में एक ही प्रदेश मानते हैं। लेकिन प्रारम्भ में नए आर्कटिक प्रदेश में घोड़ा, सुअर, बकरी तथा भेड़े नही थी। इनका उ. पू. एशिया में बेरिंग जलडमरूस्थल से होकर इस प्रदेश में आगमन हुआ है। इस प्रदेश में कुछ विशिष्ट तरह के प्राणी पाये जाते हैं, जैसे–Pocket gophers, pocket mice, pronghorns, wild turkeys आदि। इसमें रेप्टाइल्स भारी संख्या में पाये जाते हैं। इस क्षेत्र में सम्पूर्ण रीढ़वाले 122 परिवार पाये जाते हैं। जिनमें 12 परिवार अद्वितीय (unique) है। स्तनधारी प्राणियों के 74 वंश (24 अद्वितीय) तथा पक्षियों के 169 वंश (52 अद्वितीय) है। इस प्रदेश के भी 5 उपभाग किये गये हैं–

(i) **शीतोष्ण कटिबन्धीय घास क्षेत्र**–Bison, pronghorn, jack rabbit, prairie dog, gopher, fox, coyote.

(ii) **शीतोष्ण कटिबन्धीय कोणधारी वन क्षेत्र**–Moose, mule, deer, wolverine, lynx.

(iii) **दुण्ड्रा क्षेत्र**–Caribou, misk ox, lemming, arctic hare, wolf, arctic, fox, polar bear.

(iv) **मरू–क्षेत्र**–Lizards, snakes, kangaroo, zebra, hamster, hedgohog, rat, cottontail.

(3) प्राच्य प्रदेश–इसके तहत मुख्य रूप से द. तथा द. पू. एशिया को शामिल किया जाता है। हिमालय पर्वत, तिब्बत का पठार एवं चीन के पर्वतीय भाग प्राच्य प्रदेश तथा पुराआर्कटिक प्रदेश के मध्य **आवान्तर मण्डल** (transition zone) का निर्माण करते हैं। इसी प्रकार इस प्रदेश तथा आस्ट्रेलियाई प्रदेश के मध्य पूर्वी द्वीप समूह आवान्तर मंडल का निर्माण करता है। यह

सपूर्ण प्रदेश उष्ण कटिबन्धीय प्रदेश में आता है, इस प्रकार इसका सम्बन्ध **इथिओपियन प्रदेश** से हो जाता है। सभी तरह के रीढ़ वाले प्राणियों के 164 परिवार (12 अद्वितीय), स्तनधारी प्राणियों के 118 वंश (55 अद्वितीय –unique) तथा पक्षियों के 340 वंश (165-unique) पाये जाते हैं। भारतीय गैण्डा, हाथी (rhinos), हिरन की विभिन्न जातियाँ, antelopes, pheasnats, tigers, lizards, snakes, gibbons, monkeys, sunbear, porcupine, आदि महत्वपूर्ण प्राणी हैं।

(4) इथिओापियन प्रदेश–इसके तहत सहारा के दक्षिण का समस्त अफ्रीकी भाग एवं सुदूर द.प. अरेबिया शामिल किये जाते हैं। यह प्रदेश भी उष्ण कटिबन्धीय है। इस क्षेत्र में अन्य प्रदेशों की तुलना में प्राणियों में सर्वाधिक विविधता पायी जाती है। यद्यपि इसमें moles, beavers, bears तथा camesl की पूरी तरह अनुपस्थिति है। यहाँ पर पाये जाने वाले सभी तरह के रीढ़वाले जन्तुओं का 174 परिवार (22 unique), स्तनधारी जन्तुओं के 140 वंश (90, unique), तथा पक्षियों के 294 वंश (179, unique) पाये जाते हैं। इस क्षेत्र को पुनः तीन उपप्रदेशों में विभाजित किया जाता है –

(i) **उष्ण कटिबन्धीय वन प्रदेश**–Okapi, gorilla, chimpanzee, monkey, forset elephant मुख्य जातियाँ है। इस प्रदेश तथा प्राच्य प्रदेश के कई प्राणियों में समता पायी जाती है। Hippopotamus, aardvark, ostrich तथा rodents तथा कीटभक्षी (insectivores) की कुछ विशेष प्रकार की जातियाँ मात्र इथिओपियन प्रदेश में ही पायी जाती है।

(ii) **मरू क्षेत्र**–Springbok, procupine, jerboa, rook hyrax प्रमुख प्राणियाँ हैं, और

(iii) **सवाना क्षेत्र**–Zebra, eland, gemsbok, hartebeest, gun, giraffe, elephant, ostrich, lion, cheetah मुख्य प्राणियाँ है।

(5) आस्ट्रेलिया प्रदेश–इसके तहत आस्ट्रेलिया महाद्वीप द. पू. एशिया तथा आस्ट्रेलिया के बीच कुछ द्वीपों को शामिल किया जाता है। कुछ लोग न्यूजीलैंड को इस प्रदेश से पृथक् मानते हैं। इस प्रदेश की प्राच्य प्रदेश से सम्बद्धता के विषय में लोग एकमत नहीं है। इस क्षेत्र में गर्भ में बच्चों को आहार–प्रदान करने वाले (placental) स्तनधारी जन्तु कम ही पाये जाते हैं। अपने उदर के बाह्य भाग में थैली धारण करने वाले जन्तु (marsuials, इन थैलियों में ये अपने बच्चों को रखकर चलते हैं) इस प्रदेश के विशिष्ट प्राणी हैं। इस प्रदेश में समस्त प्रकार के रीढ़वाले जन्तुओं के संपूर्ण 141 परिवार,

(22, unique), स्तनधारी जन्तुओं के 72 वंश तथा पक्षियों के 298 वंश पाये जाते है। इस प्रदेश को दुबारा तीन उपप्रदेशों में विभाजित किया जाता है–

(i) **मरूप्रदेश**–Marsupial, mole, jerboa, parakeet, lizard आदि मुख्य जन्तु हैं,

(ii) **सवाना प्रदेश**–Emu, red kangaroo, badicoot, wombat, cockatoo, parrot आदि महत्वपूर्ण जन्तु हैं तथा

(iii) **उष्ण कटिबन्धीय वनप्रदेश**–Tree and musk kangaroos, wallaby, koala, opossum, cassowary आदि महत्वपूर्ण जन्तु है।

(6) नवायनपर्वतीय प्रदेश–इसके तहत द. अमेरिका का सम्मिलित किया जाता है जो उष्ण कटिबन्धीय पर्यावरण वाला है। इस प्रदेश में स्तनधारी जन्तुओं के सबसे अधिक एकान्तिक (exclusive, जो ओर कहीं नहीं पाये जाते हैं) परिवार पाये जाते हैं। Marsupials के 32 परिवार (जो आस्ट्रेलिया के Marsupials से बिल्कुल पृथक् है) तथा बन्दरों, पक्षियों तथा तीक्ष्णदन्ती जन्तुओं (rodents) के कई विशिष्ट परिवार एवं वंश मात्र यहीं पर पाये जाते हैं। इस सभी में सभी रीढ़वाले जन्तुओं के 168 परिवार (44, unique), स्तनधारी जन्तुओं के संपूर्ण 30 वंश (103, unique) तथा पक्षियों के 683 वंश (576, unique) पाये जाते हैं। इसको पुनः उपप्रदेशों में विभाजित किया जाता है–

(i) **शीतोष्ण कटिबन्धीय घास क्षेत्र**–Guanaco, rhea, viscacha. cavy. fox, shunk आदि सख्या जन्तु हैं,

(ii) **मरू क्षेत्र**–Guanaco, rhea, armadillo, vulture आदि प्रमुख जन्तु है तथा

(iii) **अयनवर्ती वन प्रदेश**–monkey, Kinkajou, pygmy, anteater, sloth, tree snakes, parrot, hummint bird आदि मुख्य प्राणी है।

कुछ लोगों ने कुछ विशिष्ट द्वीपों को जिनका सम्बन्ध स्थलीय भाग से नहीं बताया गया है पृथक् गौण द्वीप प्रदेश का दर्जा दिया है। इनमें प्रमुख हैं–हवाई द्वीप, ग्रेटर एण्डलीस, मैडागास्कर तथा न्यूजीलैंड। Greater Antilles में solenodons तथा rodents के Hutia परिवार, मैडागास्कर में Tenreces, Lemurs, Indriand Sifakas, Aye-Aye, Malagasy Mongooses एवं fossa, Malagasy rats, तथा venga shrikes तथा न्यूजीलैंड में Kiwis, Tutara, New zealand frogs आदि विशेष जन्तु

पाये जाते हैं।

विश्वस्तर पर सागरीय जन्तुओं का वितरण

स्थलीय एवं सागरीय प्राणियों के वितरण में प्रचुर अन्तर पाया जाता है क्योंकि अलग–अलग तरह की वनस्पतियाँ पायी जाती हैं जबकि सागरों में अधिकतर सूक्ष्मदर्शी फाइटोप्लैंकटन तथा सागरों के छिछले हिस्सों मे तली में रहने वाले शैवाल (algae) आदि ही पाये जाते हैं। स्थलीय भागों में समान सागरीय भागों में बाधा (barriers) नहीं पाये जाते हैं। अतः प्राणियाँ अधिक दूरी तक प्रवास कर जाती है। तापमान में भी अंतर कम ही होती है क्योंकि सागरों में क्षैतिज तथा लम्बवत गतियाँ तापमान का मिश्रण कर देती हैं तथा उसे एकसम बनाने की विभिन्नता करती है। सागरीय प्राणियों को उनके जीवन रूप के विभिन्नता के आधार पर दो प्रमुख श्रेणियों में विभाजित करते हैं–(i) तलस्थ प्राणी तथा (ii) तैरने वाले प्राणी जो जल के ऊपरी भाग में रहते हैं। तापमान में भिन्नता के आधार पर इन्हें दो भागों में विभाजित किया जाता है–(a) ठंडे जल के प्राणी एवं (b) गर्म जल के प्राणी। मालूम है कि सागरीय जल के तापमान में भूमध्य रेखा से ध्रुवों तक जो अंतर होती है वह जल के ऊपरी भाग तक ही सीमित होती है, गहराई में जाने पर तापमान मे सर्वत्र अक्सर समरूपता ही पायी जाती है। अयनवर्ती प्रदेश के सागरों में ऊपरी सतह में रहने वाले प्राणी ज्यादा संख्या में पाये जाते हैं तथा सिर्फ अयनवर्ती भागों मे सागरीय प्राणियों का वितरण कटिबन्धीय प्रतिरूप में पाया जाता है। प्राणियों के जीवन रूपों में क्षेत्रीय विभन्नता के आधार पर अयनवर्तीय सागरीय प्राणी प्रदेश को चार मंडलों में विभाजित किया जाता है–

(i) पश्चिमी प्रशान्त महासागरीय मण्डल,

(ii) पूर्व प्रशान्त महासागरीय मण्डल,

(iii) अटलांटिक मण्डल और

(iv) हिन्द महासागरीय मण्डल।

प्राणी के वितरण को प्रभावित करने वाले प्रमुख कारक

वर्तमान समय में प्राणियों का विश्ववितरण काफी मुश्किल है। प्राणियों

की गतिशीलता के कारण किसी अमूक जाति के प्राणियों के क्षेत्र का निर्धारण करना मुश्किल हो जाता है। अगर आर्कटिक टर्न को देखा जाये तो इनका मौसमी प्रवास इतना व्यापक हो जाता है कि समस्त विश्व पर उसका (tern) किसी न किसी रूप में वितरण अवश्य पाया जाता है। यद्यपि किसी भी प्राणी जाति का सबसे ज्यादा वितरण नहीं पाया जाता है तथापि कुछ ऐसे प्राणी अवश्य है जो कुछ सीमा तक सर्वत्रवासी अवश्य होते हैं जो विश्व के विभिन्न के पर्यावरण दशाओं में पाये जाते हैं, यथा–cyprinid fish का परिवार, जिसके तहत प्रमुख हैं–Carps, तालाब में पायी जाने वाली एक तरह की मछली, Minnows —एक प्रकार की छोटी मछली Tenches —विलायती सिंघाड़ा मछली आदि, Rana वंश के मेढ़क, वृक्षों पर विश्राम करने वाली चिड़ियों की कोटि के गौरेया सदृश पक्षी, निर्विष साँप; विभिन्न तरह के तीक्ष्णदन्तक प्राणी तथा मानव आदि। इस तरह व्यक्त किया जाता है कि एक जाति तो किसी विशेष क्षेत्र में केन्द्रित हो सकती है लेकिन एक वंश विभिन्न प्राणिप्रदेशों में पाया जाता है तथा एक परिवार कई महाद्वीपों में विकसित होता है। स्पष्ट है कि प्राणियों का वितरण निरन्तर परिवर्तनशील प्रतिरूप के रूप में होता है तथा इनमें निरंतर कोशिश होने से प्राणियों के वितरण की सम्बद्धता भंग हो जाती है। इसके होते हुए भी प्राणियों के वितरण में कुछ सीमा तक खास प्रतिरूप अवश्य होता है। प्राणियों के वितरण को प्रभवित करने वाले कारकों को मौटे तौर पर दो वर्गों में रखा जा सकता है–

(1) वितरण के भौतिक कारक–हर प्राणी एक निश्चित तरह के भौतिक पर्यावरण में रह सकता है चूंकि उसके विकास के लिए खास तरह की भौतिक दशाओं की आवश्यकता होती है। प्राणियों के वितरण को प्रभावित करने वाले भौतिक कारकों में तापमान, आर्द्रता, जल सौर्यिक प्रकाश, सौर्यिक विकिरण, दाब, गुरूत्व, ध्वनि, जल की क्षारीयता, लवणता, अम्लता आदि, वायु तथा घोल में गैसों का अनुपात, मुख्य खनिजों की स्थिति आदि प्रमुख है। भौतिक स्थलाकृतियाँ जैसे–थल तथा जल का वितरण, उच्च पर्वत, रेगिस्तान तथा जलवायु भी प्राणियों के वितरण को बड़े पैमाने पर प्रभावित करती है।

(2) वितरण के जैविक कारक–जैविक कारकों के तहत प्राणिसंख्या के पारिस्थितिकीय पहलू, प्राणियों तथा उनके भौतिक पर्यावरण के बीच आपसी

क्रिया, प्राणियों की आपसी क्रिया, प्राणियों तथा पादपों में आपसी क्रिया, प्राणियों की गतिशीलता, प्रवास, विसरण आदि प्रमुख हैं।

प्राणि पारिस्थितिकीय पहलू के तहत प्राणियों की संख्या का अधिक्य, उनके जनसंख्या आकार का नियमन तथा जीवों में तथा जीवों तथा पर्यावरण के बीच आपसी क्रियायें आदि प्रमुख हैं जो किसी क्षेत्र विशेष में प्राणी वितरण को प्रभावित करते हैं। किसी क्षेत्र में किसी खास जाति के प्राणियों की बहुलता या बाहुल्य उनके घनत्व, जन्म तथा मृत्यु दर, उनकी आयु, उनके वृद्धि–रूप तथा सामूहिक संचरण द्वारा प्रभावित तथा निर्धारित होती है। जैसे–(i) प्रवासी टिड्डी में प्रायः एकाकी रहने की प्रवृत्ति होती है लेकिन जब उनके हारमोन में यकायक परिवर्तन होता है तो उनमें एक साथ रहने की प्रवृत्ति विकसित हो जाती है और इस तरह से एक स्थान पर उनकी अत्यधिक संख्या हो जाती है और ये समूह तूफान की तरह एक दूसरे स्थान की तरफ चल पड़ते हैं। इसे प्रवासी दल कहते हैं। इनका समूह जब दल में चलता है तो आकाश में और कुछ अदृश्य होता है। उत्तरी भारत में जुलाई–अगस्त के महीनों में इस प्रकार का टिड्डी दल कभी–कभी आता है। इनमें इस समय प्रजनन की दर इतनी अधिक होती है कि एक जोड़े टिड्डी से चौबीस घंटे में हजारों सन्ततियाँ उत्पन्न हो जाती है। दीमक तथा मधुमक्खियों के समूहन से भी उनकी संख्या में अचानक वृद्धि होती है। कुछ जन्तुओं में सामाजिक संगठन की प्रवृत्ति विकसित हो जाने पर उनमें समूहन होने से उनकी संख्या अधिक हो जाती है। प्राणियों की जनसंख्या तथा आहार श्रृंखला में घनिष्ठ सम्बन्ध होता है। किसी भी क्षेत्र या आवास में सबसे ज्यादा संख्या शाकाहारी प्राणियों की होती है जो पोषण स्तर दो में होते हैं। ये प्राथमिक उत्पादकों, जो स्वपोषित autrophs तथा प्रकाश–संश्लेषी phototrophs होते हैं–सभी तरह के पौधे से भोजन प्राप्त करते हैं। बढ़ते पोषण स्तरों के साथ प्राणियों की संख्या भी कम होती जाती है। प्राणियों की बहुलता तथा वितरण उनके विशिष्ट व्यवहार पर भी निर्भर करता है। कुछ ऐसे प्राणी होते हैं, जैसे–एक प्रकार की गन्धयुक्त छछून्दर जिनमें प्रजनन की दर बहुत अधिक होती है परन्तु प्रजनन स्थान पर पुनः वापस नहीं आते हैं। फलस्वरूप इनका प्रसरण तीव्रता से होता है। इसके विपरीत कुछ ऐसे भी प्राणी होते हैं, यथा–अमेरिकी मांसाहारी रीछ जिनमें निम्न प्रजनन दर होती है लेकिन ये अपने जन्म स्थान पर ही अधिक रहते हैं। फलस्वरूप स्थान विशेष में इनकी संख्या तो बढ़ती जाती है लेकिन इनका प्रसरण कम

हो पाता है। किसी भी क्षेत्र में प्राणियों का घनत्व उनके जन्म दर, मृत्यु दर, आप्रवास, उत्प्रवास, आयु संरचना, विसरण आदि पर आधारित करता है। अगर जन्म दर मृत्यु दर से ज्यादा है, अधिकांश प्राणी प्रौढ़ अवस्था में है, आप्रवास, उत्प्रवास से ज्यादा है तथा विसरण न्यून है तो क्षेत्र–विशेष में प्राणियों की जनसंख्या का घनत्व ज्यादा हो जाता है।

माल्थस के मानव जनसंख्या के सिद्धान्त के समान ही प्राणि संख्या का नियमन (regulation) जब वह आदर्श सीमा से ज्यादा हो जाती है, भी प्राकृतिक रूप में स्वयं हो जाता है। दूसरे शब्दों में यदि किसी देश या प्रदेश में जनसंख्या एक निश्चित सीमा से ज्यादा हो जाती है तो प्राकृतिक प्रकोपों के कारण उनमें स्वतः ह्रास हो जाता है तथा उसका नियमन हो जाता है। इस तरह क्षेत्र–विशेष में प्राणियों की संख्या एक खास सीमा के ऊपर नहीं बढ़ने पाती है। जनसंख्या का यह स्वतः नियमन प्राणियों में उत्पादकता एवं जन्म दर में ह्रास, प्रवास, जनसंख्या में वृद्धि होने पर आहार में कमी होने पर मृत्यु दर में वृद्धि, संक्रामक रोगों के कारण मृत्यु दर में वृद्धि, आदि कारकों तथा प्रक्रियाओं द्वारा होता है।

किसी भी निवास स्थान में एक ही जाति के प्राणियों में आपसी क्रिया को अन्तर्जातीय पारस्परिक क्रिया तथा अलग–अलग जातियों के प्राणियों के मध्य पारस्परिक क्रिया को जात्यन्तर पारस्परिक क्रिया कहते हैं। इनके द्वारा प्राणियों की जनसंख्या अत्यधिक हो जाती है। यह आपसी क्रिया ऋणात्मक तथा धनात्मक हो सकती है। ऋणात्मक पारस्परिक क्रिया का सबसे बढ़िया उदाहरण परभक्षण है। इस प्रकार किसी भी क्षेत्र में प्राणियों की संख्या परभक्षी–भक्ष्य सम्बन्धों पर भी आधारित होती है। मालूम है कि परभक्षण द्वारा किसी भी क्षेत्र में जातियों में सन्तुलन स्थापित होता है। उदाहरणार्थ यदि किसी क्षेत्र से परभक्षण प्राणी को या तो पूरी तरह हटा दिया जाये या उनका समूल नाश कर दिया जाये तो भक्ष्य प्राणियों की संख्या बहुत अधिक हो जायेगी तथा जनसंख्यातिरेक हो जायेगा। इस शताब्दी के प्रारम्भ में संयुक्त राज्य अमेरिका के एरिजोना प्रान्त में कैबाब हिरण की रक्षा हेतु उसके भक्षक प्राणियों को हटा दिया गया जिस कारण इन हिरणों की संख्या में अपार वृद्धि हो गयी। यदि भक्षक प्राणियों द्वारा क्षेत्र विशेष के सभी भक्ष्य प्राणियों का नाश हो जाता है तो भक्षक प्राणी भी समाप्त हो जाते हैं। जब अलग–अलग जातियों में इस प्रकार की पारस्परिक क्रिया होती है कि सभी को लाभ होता है तो उसे धनात्मक पारस्परिक क्रिया कहते हैं।

जन्तुओं की जातियों का विलोप

जीवमंडल में आरंभ से ही जाति उद्भवन तथा जाति विलोप की प्रक्रियायें प्राणि विकास के साथ होती रही है। अदंजा किया गया है कि गत 2000 वर्षों में स्तनधारी जन्तुओं तथा पक्षियों के करीब 200 प्रकारों का विलोप हो चुका है। आधुनिक मनुष्य द्वारा प्राणियों का विलोप तेजी से हुआ है। कुछ प्राणियों की संख्या इतनी कम हो गयी है कि उनका निकट भविष्य में अगर उनको संरक्षण प्रदान नहीं किया जाता है तो विलोप निश्चित है। उदाहरण के लिए पक्षियों की 150 जातियों की कुल संख्या मात्र 2000 बतायी जाती है, छोटे पैर वाले अलबट्रास की संख्या मात्र 100 या उससे कम रह गयी है। लगभग 100 प्रकार के स्तनधारी जन्तुओं का अस्तित्व खतरे में है। प्राणियों का विलोप विभिन्न प्रकार से होता है–

(i) प्राणियों में प्रतियोगिता के दौरान कुछ जातियों का (जो कमजोर होती है) विलोप हो जाता है।

(ii) मानव वर्तमान समय में जन्तुओं के विलोपन का प्रमुख कारक बन गया है। मनुष्य अपने कार्यों द्वारा पर्यावरण में विभिन्न प्रकार का परिवर्तन करता है जिस कारण जातियों का विलोपन हो जाता है। मानव निम्न रूपों में भौतिक पर्यावरण में बदलाव करता है–

(iii) किसी भी प्रदेश में जब भौतिक पर्यावरण में परिवर्तन होता है तो उस प्रदेश में जब भौतिक पर्यावरण में बदलाव होता है तो उस प्रदेश के प्राणी भी नये पर्यावरण के साथ समायोजन तथा अनुकूलन का प्रयास करते हैं लेकिन यदि पर्यावरण में बदलाव की दर प्राणियों द्वारा अनुकूलन की दर से तीव्र होती है तो प्राणियों का विलोप हो जाता है। इस सम्बन्ध में जलवायु परिवर्तन का प्रभाव सबसे अधिक होता है।

(iv) त्वरित दुर्घटनाओं जैसे वृहदस्तरीय वनाग्नि (forest fire), ज्वालामुखी उद्भेदन, संक्रामक रोगों का अचानक तेजी से प्रसार, आदि कुछ जातियों का विलोप हो जाता है (1883 में क्राकाटाओ द्वीप पर ज्वालामुखी उद्भेदन द्वारा इस तरह का विलोप हुआ था)

(iv) कभी–कभी विपरीत दशाओं के कारण सामूहिक विलोप (mass extinction) हो जाता है। पर्मियन युग में संपूर्ण विश्व की ज्ञात प्राणि जातियों के 50 प्रतिशत का सामूहिक विलोप हो गया था।

(अ) भूमि उपयोग में बदलाव करके;
(ब) जन्तुओं के प्राकृतिक आवास क्षेत्रों को नष्ट करके;
(स) मौसम में परिवर्तन करके;
(द) आणविक, नाभिक, रासायनिक एवं कीट युद्धों द्वारा आदि जैसे–जैसे मनुष्य की प्रौद्योगिकी में विकास हो रहा है एवं उसके आर्थिक कार्य बढ़ते जा रहे हैं वैसे कई बीच के जन्तुओं की जातियों के विलोपन का खतरा भी बढ़ता जा रहा है।

R. Silverberg (1973) के अनुसार 1801 से 1850 के बीच विश्वस्तर पर जन्तुओं की सिर्फ जातियों का विलोपन हुआ था; 1851–1900 के बीच स्तनधारी जन्तुओं की 31 जातियों का विलोपन हो गया तथा 1901–1944 के बीच स्तनधारी जीवों के 41 प्रकारों का विलोप हो गया। मालूम ही है कि जातियों का विलोपन एक स्वाभाविक तथा प्राकृतिक पारिस्थितिकीय प्रक्रिया है तथा जाति उद्भवन (speciation), विसरण (dispersal) तथा जाति विलोपन में प्रायः प्राकृतिक अथवा गतिक सन्तुलन बना रहता है लेकिन मनुष्य के कार्यों यथा–जन्तुओं का धुँआधार शिकार करना; वनों को जलाना; वनों को साफ करना, जानलेवा रासायनिक गैसों का विमोचन; स्थल, जल तथा वायु को बृहत स्तर पर प्रदूषित करना द्वारा होने वाले विलोपन के कारण यह पारिस्थितिकीय सन्तुलन बिगड़ जाता है तथा कई संहारक पारिस्थितिकीय समस्यायें जन्म लेती हैं।

कशेरुकी जन्तु

कशेरुकी या कशेरुकदंडी (वर्टेब्रेट, Vertebrate) प्राणिसाम्राज्य के कॉरडेटा (Chordata) समुदाय का सबसे बड़ा उपसमुदाय है। जिसके सदस्यों में रीढ़ की हड्डियाँ (backbones) या पृष्ठवंश (spinal comumns) विद्यमान रहते हैं। इस समुदाय में इस समय लगभग 58,000 प्रजातियाँ वर्णित हैं। इसमें बिना जबड़े वाली मछलियां, शार्क, रे, उभयचर, सरीसृप, स्तनपोषी तथा चिड़ियाँ शामिल हैं। ज्ञात जन्तुओं में लगभग 5ः कशेरूकी हैं और शेष अकेशेरूकी।

प्रमुख विशेषताएँ

निम्नलिखित गुणोंवाले सभी कॉरडेटा इसमें परिगणित होते हैं रू

1. जो करोटि (स्कल, Skull) वाले होते हैं।
2. जिनके वयस्क में नोटोकॉर्ड का स्थान कशेरुकाएँ ले लेती हैं।
3. जिनके मस्तिक की रचना जटिल होती है।
4. जिनका ह्रदय तीन या चार खंडों में बँटा रहता है।
5. जिनमें शाखांगों के दो जोड़े पखों (फिन, कत्द) या हाथ–पैर के रूप में होते हैं।
6. जिनके शरीर में लाल रक्तकण पाए जाते हैं।

प्रकार

कशेरुकदंडी दो प्रकार के हैं–ऐग्नेथा (Agnatha) तथा ग्नेथोस्टोमेटा (Gnathostomata)

ऐग्नेथा

ऐग्नेथा की एक ही श्रेणी हैदृचक्रमुखी (साइक्लोस्टोमेटा, Cyclostomata)।

चक्रमुखी प्राणी जबड़े रहित और चूषक मुख (सक्टोरियल माउथ, suctorial mouth) वाले होते हैं जिसमें कादर दाँत लगे रहते हैं। ये जलचर होते हैं। इनकी त्वचा चिकनी और शल्करहित होती है। पंख अयुग्म होते हैं। छह ले लेकर 14 जोड़ी तक गलफड़ होते हैं। कंकाल कास्थिजातिक (calcified) होता है। लैंप्रि (Lamprey) तथा हैग (Hag) मछलियाँ इसके उदाहरण हैं।

ग्नेथोस्टोमेटा

ग्नेथोस्टोमेटा कशेरुकदंडी जबड़ेवाले प्राणी हैं। ये पाँच वर्गों में विभक्त हैं, जिनका परिचय निम्नोक्त है–

मत्स्य (Pisces)

इस श्रेणी में सभी प्रकार की मछलियाँ आती हैं। मछलियाँ जलवासी जीव हैं और गलफड़ों द्वारा श्वसन करती हैं। गलफड़ जीवन पर्यंत उपस्थित रहते हैं। साधारणतया त्वचा शल्कों से ढकी रहती है। प्रचलन के लिए अंस तथा श्रोणि पख (पेक्टोरल ऐंड पेल्विक फिन्स, Pectoral and pelvic fins) और अयुग्म पृष्ठीय (dorsal), औदरिक तथा पुच्छ पंख होते हैं। पंखों में कंकालीय पंखरश्मियाँ होती हैं। इनके अतिरिक्त अधिकतर मछलियों में वातवस्ति (एयर ब्लैडर, air bladder) उपस्थित होती है। हृदय एक अलिंद तथा एक निलय, दो खंडों में बँटा रहता है। इस श्रेणी के उदाहरण शार्क, कतला, रोहू, मृगल, टेंगड़ा, सिंघी तथा केवई इत्यादि मछलियाँ हैं।

उभयचर (ऐंफीबिया, Amphibia)

ये मछली तथा उरग दोनों श्रेणियों के बीच के प्राणी हैं, जो जल तथा स्थल दोनों ही पर रह सकते हैं। इनकी त्वचा प्रायः कोमल, नम तथा चिकनी होती है और उसपर किसी प्रकार के शल्क नहीं होते। इनमें अधिकांश अपनी बेंगची (tadpole) अवस्था में गलफड़ों द्वारा ओर वयस्क अवस्था में फुफ्फुसों द्वारा श्वसन करते हैं, किंतु कुछ जीवन पर्यंत गलफड़ों द्वारा ही श्वसन करते हैं। शाखांग कभी पख के रूप में नहीं होते। शाखांग जब वर्तमान होते हैं तो उनकी रचना पंचांगुलिक होती है जो चलने फिरने तथा तैरने के लिए होते हैं तथा उनमें किसी प्रकार के नाखून नहीं होते। हृदय में दो अलिंद और एक निलय होता हैं। इनके जीवन में प्रायः रूपांतरण होता रहता है। इस श्रेणी के उदाहरण सैलामैंडर (Salamander), दादुर, मेढक तथा

सिसीलियन हैं।

उरग (रेप्टीलिया, *Reptilia*)

इस श्रेणी के प्राणियों के पैर इतने छोटे होते हैं कि चलते समय ऐसा प्रतीत होता है मानो ये पेट के बल रेंग रहे हों। उरग शीतरक्तीय कशेरुकदंडी हैं। इनकी त्वचा श्रृंगी (horny) शल्कों से ढकी रहती है और कुछ में इन शल्कों के स्थान पर श्रृंगी या अस्थि पट्टिकाएँ होती हैं। हृदय में दो अलिंद और अपूर्ण रूप से, दाएँ तथा बाएँ में विभाजित, निलय होता है, किंतु मगरमच्छ में निलय पूर्ण रूप से दो खंडों में बँटा रहता है। इस श्रेणी में छिपकलियाँ, गिरगिट, साँप, कछुए, मगरमच्छ तथा नक्र इत्यादि आते हैं।

पक्षी (एवीज *Aves*)

इस श्रेणी में वे जंतु सम्मिलित हैं जिन्हें हम पक्षी कहते हैं। ये उष्णरक्तीय दो पैरोंवाले जंतु होते हैं। इनका शरीर परों से ढँका रहता है। अग्रशाखांग डैनों में परिवर्तित होते हैं। ऊर्ध्व तथा अधोहन्विकाएँ मिलकर चोंच बनाती हैं, जो एक श्रृंगी छाद (Horny sheath) से ढकी रहती है। इन्हें दाँत नहीं होते। हृदय पूर्ण रूप से चतुष्कोष्ठीय (दो अलिंद तथा दो विलय) होता है। इस श्रेणी के अंतर्गत सभी प्रकार की चिड़ियाँ, जैसे कौवे, गौरैवा, चील, बाज, मुर्गा, बत्तख, शुतुरमुर्ग, नीलकंठ, कोयल, मोर, बुलबुल इत्यादि आते हैं।

स्तनधारी (मैमेलिया, *Mammalia*)

इस श्रेणी में वे कशेरुकदंडी जंतु आते हैं जिनकी मादा स्तनोंवाली होती हैं। बच्चों के पोषण के लिए स्तनों से दूध स्रावित होता है। नर में वृषण अंडकोश में स्थित होते हैं। इनके अतिरिक्त स्तनधारियों के शरीर पर बाल पाए जाते हैं; शरीर के मध्य अनुप्रस्थ दिशा में फैला हुआ एक महापट (डायफ्राम, diaphragm) हृदय चतुष्कोठीय तथा कान का बाहरी छिद्र कर्णशुष्कुली से ढका होता है। ये उष्णरक्तीय तथा वायुश्वसनीय प्राणी हैं। इनके लाल रक्तकणों में केंद्रक का अभाव होता है। साधारणतया बच्चे पूर्ण विकसित अवस्था में ही मादा के शरीर से बाहर निकलते हैं। इस श्रेणी के उदाहरण वनचोंचा, चींटोखोर, कंगारू, बकरी, भेड़, गाय, भैंस, कुता, सियार, भालू, शेर, हाथी, ह्वेल, खरगोश, गिलहरी, बंदर तथा मनुष्य इत्यादि हैं।

आर्थोपोडा संघ

आर्थोपोडा प्राणी जगत का सबसे बड़ा संघ है। पृथ्वी पर अर्थोपोडा की लगभग दो तिहाई जातियाँ हैं, इसमें कीट भी सम्मिलित हैं। इनका शरीर सिर, वक्ष और उदर में बँटा रहता है। शरीर के चारों ओर एक खोल जैसी रचना मिलती है। प्रायः सभी खंडों के पार्श्व की ओर एक संधियुक्त शाखांग होते हैं। सिर पर दो संयुक्त नेत्र होते हैं। ये जन्तु एकलिंगी होते हैं और जल तथा स्थल दोनों स्थानों पर मिलते हैं। तिलचट्टा, मच्छर, मक्खी, गोजर, झिंगा, केकड़ा आदि इस संघ के प्रमुख जन्तु हैं।

कीट

कीट आर्थोपोडा संघ का एक प्रमुख वर्ग है। इसके 10 लाख से अधिक जातियों का नामकरण हो चुका है। पृथ्वी पर पाये जाने वाले सजीवों में आधे से अधिक कीट हैं। ऐसा अनुमान लगाया गया है कि कीट वर्ग के 3 करोड़ प्राणी ऐसे हैं जिनको चिन्हित ही नहीं किया गया है अतः इस ग्रह पर जीवन के विभिन्न रूपों में कीट वर्ग का योगदान 90: है। ये पृथ्वी पर सभी वातावरणों में पाए जाते हैं। सिर्फ समुद्रों में इनकी संख्या कुछ कम है। आर्थिक रूप से महत्वपूर्ण कीट हैंरू एपिस (मधुमक्खी) व बांबिक्स (रेशम कीट), लैसिफर (लाख कीट)य रोग वाहक कीट, एनाफलीज, क्यूलेक्स तथा एडीज (मच्छर); यूथपीड़क टिड्डी (लोकस्टा); तथा जीवीत जीवाश्म लिमूलस (राज कर्कट किंग क्रेब) आदि।

कीट प्रायः कोई भी छोटा, रेंगनेवाला, खंडों में विभाजित शरीरवाला और बहुत सी टाँगोंवाला प्राणी कीट कह दिया जाता हैं, किंतु वास्तव में यह नाम विशेष लक्षणोंवाले प्राणियों को दिया जाना चाहिए। कीट अपृष्ठीवंशियों (Invertebrates) के उस बड़े समुदाय के अंतर्गत आते है जो संधिपाद (Anthropoda) कहलाते हैं। लिनीयस ने सनृ 1735 में कीट (इनसेक्ट=

इनसेक्टम=कटे हुए) वर्ग में वे सब प्राणी सम्मिलित किए थे जो अब संधिपाद समुदाय के अंतर्गत रखे गए हैं। लिनीयस के इनसेक्ट (इनसेक्टम) शब्द को सर्वप्रथम एम. जे. ब्रिसन ने सन 1756 में सीमित अर्थ में प्रयुक्त किया। तभी से यह शब्द इस अर्थ में व्यवहृत हो रहा है। सन 1825 में पी. ए. लैट्रली ने कीटों के लिये हेक्सापोडा (Hexapoda) शब्द का प्रयोग किया, क्योंकि इस शब्द से इन प्राणियों का एक अत्यंत महत्वपूर्ण लक्षण व्यक्त होता है।

वास्तविक कीटों के लक्षण

इनका शरीर खंडों में विभाजित रहता है जिसमें सिर में मुख भाग, एक जोड़ी शृंगिकाएँ (Antenna), पर्यरू एक जोड़ी संयुक्त नेत्र और बहुधा सरल नेत्र भी पाए जाते हैं। वृक्ष पर तीन जोड़ी टाँगों और दो जोड़े पक्ष होते हैं। कुछ कीटों में एक ही जोड़ा पक्ष होता है और कुछेक पक्षविहीन भी होते है। उदर में टाँगें नहीं होती। इनके पिछले सिरे पर गुदा होती है, और गुदा से थोड़ा सा आगे की ओर जननछिद्र होता है। श्वसन महीन श्वास नलियों (ट्रेकिया, Trachea) द्वारा होता हैं। श्वासनली बाहर की ओर श्वासरध्रं (स्पाहरेकल Spiracle) द्वारा खुलती है। प्रायः दस जोड़ी श्वासध्रं शरीर में दोनों ओर पाए जाते हैं, किंतु कई जातियों में परस्पर भिन्नता भी रहती है। रक्त लाल कणिकाओं से विहीन होता है और प्लाज्मघ (Plasma) में हीमोग्लोबिन (Haemoglobin) भी नहीं होता। अतः श्वसन की गैसें नहीं पहुँचती। परिवहन तंत्र खुला होता हैं, हृदय पृष्ठ की ओर आहारनाल के ऊपर रहता है। रक्त देहगुहा में बहता है, बंद वाहिकाओं की संख्या बहुत थोड़ी होती है। वास्तविक शिराएँ, धमनियों और केशिकाएँ नहीं होती। निसर्ग (मैलपीगियन, Malpighian) नलिकाएँ पश्चांत्र के अगले सिरे पर खुलती हैं। एक जोड़ी पांडुर ग्रंथियाँ (Corpora allata) भी पाई जाती हैं। अंडे के निकलने पर परिवर्धन प्रायः सीधे नहीं होता, साधारणतया रूपांतरण द्वारा होता है।

प्राणियों में सबसे अधिक जातियाँ कीटों की हैं। कीटों की संख्या अन्य सब प्राणियों की सम्मिलित संख्या से छह गुनी अधिक है। इनकी लगभग दस बारह लाख जातियाँ अब तक ज्ञात हो चुकी हैं। प्रत्येक वर्ष लगभग छह सहस्र नई जातियाँ ज्ञात होती हैं और ऐसा अनुमान है कि कीटों की लगभग बीस लाख जातियाँ संसार में वर्तमान हैं। इतने अधिक प्राचुर्य का कारण इनका असाधारण अनुकूलन (ऐडैप्टाबिलिटी, Adaptability) का गुण हैं। ये अत्यधिक भिन्न परिस्थितियों में भी सफलतापूर्वक जीवित रहते हैं। पंखों की उपस्थिति

के कारण कीटों को विकिरण (डिसपर्सल, dispersal) में बहुत सहायता मिलती हैं। ऐसा देखने में आता में है कि परिस्थितियों में परिवर्तन के अनुसार कीटों में नित्य नवीन संरचनाओं तथा वृत्तियों (हैबिट्स, habit) का विकास होता जाता है।

कीटों ने अपना स्थान किसी एक ही स्थान तक सीमित नहीं रखा है। ये जल, स्थल, आकाश सभी स्थानों में पाए जाते हैं। जल के भीतर तथा उसके ऊपर तैरते हुए, पृथ्वी पर रहते और आकाश में उड़ते हुए भी ये मिलते हैं। अन्य प्राणियों और पौधों पर बाह्य परजीवी (इंटर्नल पैरासाइट, internal parasite) के रूप मे भी ये जीवन व्यतीत करते हैं। ये घरों में भी रहते हैं और वनों में भीय तथा जल और वायु द्वारा एक स्थान से दूसरे स्थान पर पहुँच जाते हैं। कार्बनिक अथवा अकार्बनिक, कैसे भी पदार्थ हों, ये सभी में अपने रहने योग्य स्थान बना लेते हैं। उत्तरी ध्रुवप्रदेश से लेकर दक्षिणी ध्रुवप्रदेश तक ऐसा कोई भी स्थान नहीं जहाँ जीवधारियों का रहना हो ओर कीट न पाए जाते हों। वृक्षों से ये किसी रूप में अपना भोजन प्राप्त कर लेते हैं। सड़ते हुए कार्बनिक पदार्थ ही न जाने कितनी सहस्र जातियों के कीटों को आकृष्ट करते तथा उनका उदरपोषण करते हैं। यही नहीं कि कीट केवल अन्य जीवधारियों के ही बाह्य अथवा आंतरिक पारजीवी के रूप में पाए जाते हों, वरन्‌ उनकी एक बड़ी संख्या कीटों को भी आक्रांत करती है। और उनसे अपने लिए आश्रय तथा भोजन प्राप्त करती हैं। अत्यधिक शीत भी इनके मार्ग में बाधा नहीं डालता। कीटों की ऐसी कई जातियाँ हैं जो हिमांक से भी लगभग 50 सेंटीग्रेट नीचे के ताप पर जीवित रह सकती हैं। दूसरी ओर कीटों के ऐसे वर्ग भी हैं जो गरम पानी के उन श्रोतों में रहते हैं जिसका ताप 40 से अधिक है। कीट ऐसे मरुस्थलों में भी पाए जाते हैं जहां का माध्याह्कि ताप 60 सेल्सियस तक पहुँच जाता है कुछ कीट तो मरुस्थलों में भी पाऐ जाते हैं। जहाँ का माध्यांह्कि ताप 60 सेल्सियस तक पहुँच जाता है। कुछ कीट तो ऐसे पदार्थों में भी अपने लिए पोषण तथा आवास ढूँढ लेते हैं जिसके विषय में कल्पना भी नहीं की जा सकती कि उनमें कोई जीवधारी रह सकता है या उनके प्राणी अपने लिए भोजन प्राप्त कर सकता है। उदाहरण के लिए, साइलोसा पैटरोली (Psilosa petroli) नामक कीट के डिंभ कैलीफोर्निया के पैट्रोलियम के कुओं में रहते पाये गये हैं। कीट तीक्ष्ण तथा विषैले पदार्थों में रहते तथा अभिजनन करते पाए गए हैं। जैसे अपरिष्कृत टार्टर जिसमे 80 प्रतिशत पौटेशियम बाईटार्टरेट होता

है।) अफीम, लाल मिर्च अदरक नौसादर, कुचला (स्ट्रिकनीन, strychnine) पिपरमिंट कस्तूरी, मदिरा की बोतलों के काम, रँगने वाले ब्रश। कुछ कीट ऐसे भी हैं जो गहरे कुओं और गुफाओं मे रहते हैं जहाँ प्रकाश कभी नहीं पहुँचता। अधिकतर क़ीट उष्ण देशों में मिलते हैं और इन्हीं कीटों से नाना प्रकार की आकृतियों तथा रंग पाए जाते हैं।

सहजवृति (Instinct) के कारण कीटों का व्यवहार स्वभावतः ऐसा होता है जिससे उनके निजी कार्य में निरंतर लगे रहने की दृढ़ता प्रकट होती है। उनमें विवेक और विचारशक्ति का अभाव होता है। घरेलू मक्खियों को ही लें। बारबार किए जाने वाले प्रहार से वे न तो डरती हैं और न हतोत्साहित ही होती हैं। उन्हें हार मानना तो जैसे आता ही नहीं। जब तक उनके शरीर में प्राण रहते हैं तब तक वे अपने भोजन की प्राप्ति तथा संतानोत्पति के कार्य की पूर्ति में बराबर लगी रहती हैं।

आकार

क़ीटो का आकार प्राय छोटा होता है। अपने सूक्ष्म आकार के कारण वे वहुत लाभान्वित हुए हें। यह लाभ अन्य दीर्घकाय प्राणियो को प्राप्त नहीं हैं। प्रत्येक कीट को भोजन की बहुत थोड़ी मात्रा की आवश्यकता होती है। अपनी सूक्ष्म काया के कारण वे रन्ध्रो या दरारों में भी सरलता से आश्रय ले लेते हैं। इनका आकार इनकी रक्षा में सहायता करता है। इनके छोटे आकार के होते हुए भी उनमें अदम्य शक्ति होती है। अनेक कीट अपने शारीरिक भार से दस से बीस गुना तक बोझ वहन कर सकते हैं। एक पिस्सू (Flea), जिसकी टागें लगभग एक मिलीमीटर लंबी होता है, चालीस सेंटीमीटर लंबाई में और बीस सेंटीमीटर लंबाई में कूद सकता है।

कुछ कलापक्ष परजीवियों की लंबाई केवल 0.2 मिलीमीटर ही होती है। पर कुछ तृणकीट (stick insects), जैसे फाइमेसिया सेराटिपस (Pharmacia serratipus) 260 मिलीमीटर तक लंबे होते हैं। यदि पक्षों को फैलाकर एरविस एग्रिपाइना (Erbis agrippina) मापा जाए तो इसकी चौड़ाई 280 मिलीमीटर तक पहुँच जाती है। आधुनिक कीटों में यह सबसे बड़ा है, पर प्राचीन काल की ड्रेगन फ्लाई (Dragon Fly), जिनके अस्तित्वावशेष मिलते हैं, पक्ष फैलाने पर मापने पर दो दो फुट से भी अधिक लंबी पाई जाती है।

मनुष्य और कीटवर्ग में बहुत घनिष्ठ संबंध है। अनेक जातियाँ हमें अत्यधिक हानि पहुँचाती हैं, हमारे भोज्य पदार्थों को खा डालती हैं, हमारे वस्त्रों

आदि को नष्ट कर देती हैं और मनुष्यों, पशुओं तथा पौधों में अनेक रोग फैलाती हैं।

बाह्य कंकाल

कीटों की अस्थियां नहीं होती। कंकाल अधिकतर बाह्य होता है। और दृण बह्यत्वक (क्यूटिकल, ब्नजपबसम) बना रहता है। यही देहभित्ति का बाह्य स्तर होता है। इस कंकाल में गुरूता अधिक होती है। अस्थियों की तुलना में यह हलका, किन्तु बहुत ही सुदृण होता है। साधारणतया विभिन्न सामान्य रासायनिक विलियनों का इस स्तर पर कुछ भी प्रभाव नहीं दिखाई पडता। इस शरीरावरण का इतना अधिक अप्रभावित होना विशेष महत्व रखता है। इस कारण साधारण कीटाणुनाशी कीटों को सरलता से नष्ट नहीं कर सकते। बाहियत्वक शरीर के प्रत्येक भाग को ढके रहते हैं, यहाँ तक कि नेत्र, श्रंगिकाएँ, नखर (क्लाज, बसेंू) तथा मुख भागों पर भी इसका आवरण रहता है। आहारनाल के अग्र और पश्च भाग की भित्ति भीतर की और तथा श्वसननलिकाएँ बाह्यत्वक के एक बहुत महीन स्तर से ढकी रहती हैं। बाह्यत्वक के भीतर की ओर जीवित कोशिकाओं का स्तर होता है, जो हाइपोडर्मिस (भ्लचवकमतउपे) कहलाता है। यही स्तर बाह्यत्वक का उत्सर्जन करता है। हाइपोडर्मिस के भीतर की ओर एक अत्यधिक सूक्ष्म निम्नतलीय झिल्ली होती है।

बाह्यकंकाल संधियों पर तथा अन्य ऐसे स्थानों पर जहाँ गति होती है, झिल्लीमय हो जाता है। इन स्थानों के अतिरिक्त सारे शरीर का कंकाल भिन्न भिन्न भागों में विभक्त रहता है। ये भाग दृणक (स्किलयराइट, `बसमतपजम) कहलाते हैं। और एक दूसरे से निश्चित रेखाओं द्वारा मिले रहते हैं। ये रेखाएँ सावनियाँ (सूचर, `नजनतम) कहलाती हैं। किन्तु जब संलग्न दृढ़क का आपस में समेकन हो जाता है तो सीवनियाँ लुप्त हो जाती हैं। बाह्यकंकाल कोमल पेशियों के लिए एक ढाँचे का कार्य करता है। शरीर के ऊपर विभिन्न प्रकार के शल्क, बाल, काँटे आदि विद्यमान रहते हैं।

खंडीभवन (सेगमेंटेशन, *Segmentation*)

कीट खंड वाले जीव हैं। खंड व्यवस्थित होने के कारण वे स्वतंत्रता से चल सकते हैं। और उनके शरीर में श्रमविभाजन हो पाता है। श्रमविभाजन के फलस्वरूप शरीर का एक खंड भोजन प्राप्त करने के लिए, दूसरा प्रगति के हेतु, तीसरा प्रजनन के निमित्त तथा चौथा रक्षार्थ होता है। इस प्रकार

भिन्न–भिन्न खंड निजी कार्य पृथ... शरीर के प्रत्येक खंड में पृष्ठीय पट्ट...रूप से संपादित ... पार्श्वक (प्लुरॉन, Pleuron) तथा एक उ...ergum), दाँए बाएँ ... है। आदर्श रूप से कीटों के शरीर में 20 या 2... (स्टर्नम, Sternum) ... इन खण्डों के समेकन और संकुचन के कारण होते हैं, किन्तु यह संख्या ... ...म हो जाती है।

सिर

सिर भोजन करने और संवेदना का केंद्र है। इसमे छ...खण्ड होते हैं, जिनका परस्पर ऐसा समेकन हो गया है कि इनमें उपकरणों ... अतिरिक्त खंडीभवन का कोई भी चिन्ह नहीं रह जाता। सामान्य कीटों के सिर के अग्रभाग में रोमन अक्षर वाई ग्ग्र के आकार की एक सीवनी होती है, जो सिरोपरि (एपिक्रेनियल, Epicranial) सीवनी कहलाती है। इस सीवनी की दोनों भुजाओं का मध्य भाग ललाट (फ्रांज, Frons) कहलाता है। भाल के पीछे वाले सिर के भाग को सिरोपरि भित्ति (एपिक्रेनियम Epicranium) कहते हैं। भाल के आगे की और वाले सिर के भाग को उदोष्ठधर (क्लिपिअस Clypeus) कहते है। उदोष्ठधर के अगले किनारे पर लेब्रम (Labrum) जुड़ा रहता है। लेब्रम की भीतरी भित्ति को एपिफैरिंग्स (Epipharynx) कहते हैं। शिरोपरिभित्ति (एपिक्रेनियम Epicranium) पर एक जोड़ी श्रृंगिकाएं और एक जोड़ी संयुक्त नेत्र सदा पाए जाते हैं। नेत्रों के नीचे वाले सिर के भाग को कपाल (जीनी Genae) कहते हैं। सिर पर दो या तीन सरल नेत्र, या आसेलाई (Ocelli) भी प्राय पाए जाते हैं। सिर ग्रीवा द्वारा वक्ष से जुड़ा रहता है। सिर के उस भाग में, जो ग्रीवा से मिलता है, एक बड़ा रन्ध्र होता है जो पश्चकपाल छिद्र (आक्सिपिटैल फोरामेन Occipital foramen) कहलाता है। सिर के चार अवयव होते हैं, जो मैंडिबल, (Mandible) मैक्सिला (Maxilla) और लेवियम (Labium) कहलाते हैं। मैंडिवल में खंड होते हैं, जिनकी संख्या विभिन्न प्रजातियों में भिन्न--भिन्न होती है। इनकी आकृति में भी वहुत भेद रहता है। मादाओं के मैंडिबल प्राय विशेष रूप से विकसित होते हैं। मैंडिवल द्वारा ही कीटों को अपने मार्ग और संकट का ज्ञान होता है। इन्हीं के द्वारा वे अपने भोजन व अपने साथी की खोज कर पाते हैं। चीटियाँ इन्हीं के द्वारा एक दूसरे को संकेत देती हैं। मक्खियों में इन्हीं पर घ्राणेंद्रियाँ पाई जाती हैं। नर मच्छर इन्हीं से सुनते हैं और कोई कोई कीट अपने संगी तथा अपने शिकार को पकड़ने के लिए भी इनसे काम लेते हैं। मैंडिबल भी प्रदान जबड़े हैं। और ये

भी भोजन को पकड़ते त हैं। मैक्सिला सहायक जबड़ा है। इसमें कई भाग होते हैं। यह (कार्डो Cardo) द्वारा सिर से जुड़ा रहता है। दूसरा भाग उद्वंत Stipes) कहलाता है। इसका एक शिरा अधोवृंत से जुडा रहता है (दूसरे सिरे पर एक उष्णोव (Galea), एक अंतजिह्वा (Lacinia) और डदार स्पर्शिनी (Maxillary palp) होती हैं। अवर औष्ठ दो अवयवों लकर बना होता है। दोनो अवयवों का समेकन अपूर्ण ही रहता है । वह चौड़ा भाग, जो सिर से जुड़ा रहता है, अधश्चिबक (Subme um) कहलाता है। इसके अगले किनारे पर चिबुंक (मेंटम, Mentum) जुड़ा रहता है। चिबुंक के अग्र के किनारे पर चिबुंकाग्र (Prementum) होता है, जो दो भागों का बना होता है और जिसके अग्र किनारे पर बाहर की ओर एक जोड़ी वहिर्जिह्वा (पैराग्लासी Paraglossae) तथा भीतर की ओर एक जिह्वा (ग्लासी Glossae) होती है। इनकी तुलना उपजंभ के उष्णीष (Galea) और अंतर्जिह्वा से की जा सकती है। ये चारों भाग मिलकर जिह्विका (Ligula) बनाते हैं। चिबुकाग्र के दाएँ व बाएँ किनारे पर एक एक खंडदार स्पर्शिनी (लेवियल पैल्प Labial palp) होती हैं। मुख वाले अवयवों के मध्य जो स्थान घिरा रहता है वह प्रमुखगुहा (प्रीओरल कैविटी peoral cavity) कहलाता है। इसी स्थान में जिह्वा (हाइपोफैरिंग्स hypopharyns) होती है। जिह्वा की जड़ पर, ऊपर की ओर मुख का छिद्र और नीचे की ओर लार नली का छिद्र होता है।

कीटों के भोजन करने की विधियाँ विभिन्न हैं। तदनुसार इनके मुख भागों की आकृति में परिवर्तन होता है। जो कीट मुखभाग के छिद्र से भोजन चूसते हैं, इनमें मैंडिवल, मैक्सिला आदि के मुखभाग सुई के समान होते हैं। भोजन का अवशोषण करने वाले कीटों के मुखभाग का अधर ओष्ठ शिंडाकार होता है इसके सिर पर द्रव पदार्थ के अवशोषण के लिए कोशिका नलिकाएँ होती है। भिन्न–भिन्न प्रकार के मुख भाग विभिन्न समुदाय के कीटों के वर्णन में बतलाए गये हैं।

वक्ष

प्रगति का केंद्र है। यह शरीर का मध्यभाग होने के कारण प्रगति के लिए बहुत ही उपयुक्त है। इस भाग में तीन खण्ड होते हैं, जो अग्रवक्ष (प्रोथोरेक्स Prothorax), मध्यवक्ष (मेसोथोरैक्स Mesothorax) और पश्चवक्ष (मेटाथोरेक्स Metathorax) कहलाते हैं। भिन्न–भिन्न समुदाय के कीटों के

तीन खण्डों में अत्यधिक भेद पाया जाता है। फुदकने वाले कीटों का अग्रवक्ष सबसे अधिक विकसित होता है, किंतु मध्यवक्ष और पश्चवक्ष का आकार पक्षों की परिस्थिति पर निर्भर करता है। जब दोनों पक्षों का आकार लगभग एक–सा होता है तब दोनों वक्षों का आकार भी एक–सा पाया जाता है। द्विपक्षों में केवल एक ही जोड़ी अर्थात अग्रपक्ष ही होते हैं। इस कारण मध्यपक्ष सबसे अधिक बड़ा होता है। पक्षविहीन कीटों में प्रत्येक खंड का पृष्ठीय भाग सरल तथा अविभाजित रहता है पक्षवाले खंडों का पृष्ठीय भाग लाक्षणिक रूप से तीन भागों में विभाजित रहता है, जो एक दूसरे के पीछे क्रम से जुड़े रहते हैं और प्रग्वरूथ (प्रिस्क्यूटम Prescutum), वरूथ (स्क्यूटम Scutum) तथा वरूथिका (स्क्यूटैलम Scutalum) कहलाते हैं वरूथिका के पीछे की ओर पश्चवरूथिका (पोस्ट स्क्यूटैलम Post&Scutalum) भी जुडी रहती है। जो अंतखंडीय झिल्ली के कड़े होने से बन जाती है। इन सब भागों में वरूथिका ही प्राय सबसे मुख्य होती है। दोनो ओर के पार्श्वक भी दो दो भागों में विभाजित रहता है। अग्रभाग उदरोस्थि (एपिस्टर्नम Episternum) और पश्चभाग पार्श्वकखंड (एपिमीरॉन Epimeron) कहलाता है। प्रतिपृष्ठ में बेसिस्टर्नम (Basisternum) और फर्कास्टर्नम (Fursasternum) नामक दो भाग होते हैं। फर्कास्टर्नम के पीछे की ओर अंतखंडीय झिल्ली कड़ी होकर स्पाइनास्टर्नम (Spinasternum) बनकर जुड़ जाती है।

टाँगें

वक्ष के प्रत्येक खंड में एक जोड़ी टाँग होती है। प्रत्येक टाँग पाँच भागों में विभाजित रहती है। टाँग का निकटस्थ भाग, जो वक्ष से जुड़ा होता है, कक्षांग (कोक्स Coxa) कहलाता है। दूसरा छोटा सा भाग ऊरूकट (ट्राकेटर Trochanter), तीसरा लंबा और दृण भाग उर्विका (फामर Femur), चौडा लम्बा पतला भाग जंघा (टिविया Tibia) ओर पाँचवा भाग गुल्फ (टार्सस Tarsus) कहलाता है जो दो से लेकर पाँच खण्डों में विभाजित हो सकता है। गुल्फ के अंतिम खंड में नखर (क्लाज Claws) तथा गद्दी (उपवर्हिका Pulvillus) जुड़ी होती है। और यह भाग गुल्फाग्र (प्रोटार्सस Pretarsus) कहलाता है। नखर प्राय एक जोड़ी होते हैं। गद्दियों को पलविलाइ (Pulvilli), एरोलिया (Arolia), एपीडिया (Empodia) आदि नाम दिए गए हैं। टाँगों में उपयोगितानुसार अनेक विशेषताएँ दृष्टिगोचर होती हैं। खेरिया (ग्रिलोटैल्पा Gryllotalpa) की टीवियां मिट्टी खोदने के लिए हैंगी के आकार की हो जाती हैं और इसके नीचे

की ओर तीन खंडवाला गुल्फ जुड़ा होता है। फुदकनेवाले टिड्डों की पश्च टागों की ऊर्विका (फीमर Femur) बहुत पुष्ट होती है। श्रमिक मधुमक्खियों की पश्च टाँगें पराग एकत्र करने के लिए उपयोगी होती हैं। इनमें गुल्फ में क्रमानुसार श्रेणीबद्ध बाल लगे होते हैं, जिनसे वे पराग एकत्र करते हैं, और जंघा के किनारे पर काँटे होते हैं, जो पराग को छत्ते तक ले जाने के लिए पराग डलिया का कार्य करते हैं। आखेटिपतंग की टाँगे गमन करने वाली होने के कारण ऊरूकूट दो भागों में विभाजित हो जाता है। जूँ की टाँगे बालों को पकड़ने के लिए बनी होने के कारण गुल्फ में केवल एक ही खंड होता है तथा उसमें एक ही नखर लगा होता है। बाल को पकड़े रहने के लिए नखर विशेष आकृति का होता है। जलवासी कीटों की टांगे तैरने के लिए बनी होती हैं। इनमें लम्बे बाल होते हैं, जो पतवार का काम करते हैं। बद्धहस्त (मैंटिस Mantis) की अगली टाँगे शिकार को पकड़ने के लिए होती हैं। इसका कक्षांग (कोक्सा Coaxa) बहुत लंबा, ऊर्विका और जंघा काँटेदार होती है। खाते समय वह इसी से शिकार को पकड़े रहता हैं। घरेलू मक्खी के गुल्फ में नखर, उपबर्हिकाएँ और बाल होते हैं, जिनके कारण इनका अधोमुख चलाना सम्भव होता है।

प्रगति

चलते समय कीट अपनी अगली और पिछली टाँगे एक ओर मध्य टाँग दूसरी ओर आगे बढ़ाता है। सारा शरीर क्षण भर को शेष तीन टाँगों की बनी तिपाई पर आश्रित रहता है। अगली टाँग शरीर को आगे की ओर खींचती है, पिछली टाँग उसी ओर को धक्का देती है और मध्य टाँग शरीर को सहारा देकर नीचे या ऊपर करती है। आगे की ओर बढ़ते समय कीट मोड़दार मार्ग का अनुसरण करते हैं।

पक्ष

महीन तथा दो परतों से बने होते हैं, जो मध्यवक्ष और पश्चवक्ष के पृष्ठीय भागों के किनारे से दाएँ बाएँ परत की भाँति विकसित होते हैं। पक्षों में कड़ी, महीन नलिकाओं का एक ढाँचा होता है, जो इसको दृढ़ बनाता है। ये नलिकाएँ शिराएँ (Venis) कहलाती हैं। पक्ष कुछ कुछ त्रिकोणाकार होते हैं। इसका आगे वाला किनारा पार्श्व (कौस्टैल, Costal), बाहर की ओर वाला बाहरी (Epical) और तीसरी ओर का किनारा गुदीय (Anal) कहलाता है।

पार्श्व किनारे की ओर की शिरायें प्राय मोटी या अधिक पास होती हैं, क्योंकि उड़ते समय सबसे अधिक दाब पक्ष के इसी भाग पर पड़ती हैं। शिराओं की रचना कीट के वर्गीकरण में बहुत महत्व रखती हैं। मुख्य शिरांओं के नाम इस प्रकार हैंरू कौस्टा (Costa), सबकौस्टा (Subcosta), रेडियस (Radius), मीडियस (Medius), क्यूबिटस (Cubitus) और ऐनैल (Anal)। भिन्न–भिन्न समुदाय के कीटों के पक्षों की शिराओं की रचना में बहुत भेद पाया जाता है। इनमें से कुछ शिराएँ तो लुप्त हो जाती हैं, या उनकी शाखाओं की संख्या बढ़ जाती हैं। इन शिराओं के बीच–बीच में खड़ी शिराएँ भी पाई जाती हैं।

कीटों के जीवन में पक्षों को अत्यधिक महत्व है। पक्ष होने के कारण ये अपने भोजन की खोज में दूर दूर तक उड़ जाते हैं। इनको अपने शत्रुओं से बचकर भाग निकलने में पक्षों से बड़ी सहायता मिलती है। पक्षों की उपस्थिति के कारण कीटों को अपनी परिव्याप्ति (Dispersal) में, अपने संगों को प्रप्त करने में, अंडा रखने के लिए उपयुक्त स्थान खोजने में तथा अपना घोंसला ऐसे स्थानों पर बनाने में जहाँ उनके शत्रु न पहुँच पाएँ, बहुत सहायता मिलती है।

उड़ान

उड़ते समय प्रत्येक पक्ष में पेशियों के दो समूहों द्वारा प्रगति होती है। एक समूह तो उन पेशियों का है, जिनका प्रत्यक्ष रूप में पक्षों से कोई संबंध प्रतीत नहीं होता। ये पेशियाँ वक्ष की भित्ति पर जुड़ी होती हैं। इनका पक्ष की जड़ से कोई संबंध नहीं रहता। खड़ी पेशियाँ वक्ष के पृष्ठीय भाग को दबाती हैं। वक्ष के पक्षों की संधि विशेष प्रकार की होने के कारण इस दाब का यह प्रभाव होता है कि पक्ष ऊपर की ओर उठ जाते हैं। लंबान पेशियाँ वक्ष के पृष्ठीय भाग को वृत्ताकार बना देती हैं, जिसके प्रभाव से पक्ष नीचे की ओर झुक जाते हैं। दूसरे समूह की पेशियाँ , पक्षों की जड़ पर, या पक्षों की जड़ से नन्हें नन्हें स्किलेराइट पर, जुड़ी होती हैं, इनमें से पक्षों को फैलानेवाली अग्र और पश्च पेशियाँ मुख्य हैं। उड़ते समय प्रथम समूह की पेशियाँ जब पक्षों को बारी–बारी से ऊपर–नीचे करती हैं तब पक्षों को फैलाने वाली पेशियाँ मुख्य है। उडते समय प्रथम समूह की पेशियाँ जब पक्षों को बारी–बारी से उपर–नीचे करती है तब पक्षों को फैलानेवाली पेशियाँ पक्षों को आगे और पीछे की ओर करती है। उड़ते हुए कीट के पक्षों के आर पार हवा का बहाव इस प्रकार का होता है कि पक्ष के ऊपरी और निचले तल पर दाव मे अंतर रहता है। फलत

एक वायुगति की बल बन जाता है जो पक्षों को ऊपर की ओर साधे रहता हैं और शरीर को उड़ते समय सहारा देता है।

प्राय मक्खियों और मधुमक्खियों मे पक्षकंपन सबसे अधिक होता है। घरेलू मक्खी का पक्षकंपन प्रति सेकंड 180 से 167 बार होता है, मधुमक्खी में 180 से 203 बार, और मच्छर मे 278 से 307 बार। ओडोनेटा (Odonata) गण के कीटों का पक्ष कंपन 28 बार प्रति सेकंड होता है। अत्यधिक वेग से उड़ने वाले कीटों में बाजशलभ और ओडोनेटा की एक जाति के कीट की गति 90 प्रति घंटा तक पहुँच जाती है।

उदर

उदर उपापचय (Metabolism) और जनन का केंद्र है। प्राय इसमे 10 खंड होते है, किंतु अंधकगण (प्रोट्यूरा, Protura) में 12 खंड और अन्य कुछ गणों मे 11 खंड पाए जाते हैं। बहुत से गणों मे अग्र और पश्च भाग के खंडो मे भेद होता है और इस कारण इन भागों के खंडो की सीमा कठिनता से निश्चित हो पाती है , कितु गुदा सब कीटों मे अंतिम खंड पर ही होती है। कुछ कीटों मे अंतिम खंड पर एकजोड़ी खंडवाली पुच्छकाएँ (सरसाई, Cerci) लगी होती है। नर में नौवाँ खंड जनन संबंधी होता है। इसके ठीक पीछे की और प्रतिपृष्ट पर जनन संबंधी छिद्र पाया जाता है और पर जनन अवश्य लगे रहते हें। जनन अवश्य या बाह्य जननेंद्रियाँ ये हैं–एक शिशन (ईडीगस, Aedeagus), एक जोड़ी आंतर अवयव (पेरामीयर, Paramere) और एक जोड़ी बाह्य अवयव (क्लास्पर, Clasper), जो मैथुन के समय मादा को थामने का काम करती है। ये सब अवश्य नवें खंड से विकसित होते है। मादा मे आठवाँ और नौवाँ जनन संबंधी खंड है और इन्हीं पर जनन अवश्य या बाह्य जननेंद्रियाँ लगी होती है। ये इंद्रियाँ अंडा रखने का कार्य करती है। इसलिए इनको अंडस्थापक भी कहते है। मादा का जनन संबंधी छिद्र सांतवे प्रतिपृष्ट के ठीक पीछे होता हैं किंतु कुछ गणों मे यह अधिक पीछे की और हट जाता है। अंडस्थापक विभिन्न समुदायों के कीटों मे विभिन्न कार्य करता है, यथा मधुमक्खियों, बर्रों और बहुत सी चींटियों में डंक का, साफिलाइज मे पौधों में अंडा रखने के लिए गहरा छेद करने का तथा आखेटिपतंग मे दूसरे कीटों के शरीर में अंड़ा रखने के लिए छेद करने का। कुछ कीटों में अंडस्थापक नहीं होता। बहुत मे कंचुकपक्षों और मक्खियों मे शरीर के अंतिम खंड दूरबीन के सदृश हो जाते हैं और अंडा रखने का कार्य करते हैं। अंडस्थापक तीन जोड़ी

अवयवों का बना होता है, जो अग्र, पश्च और पृष्ठीय कपाट कहलाते हैं। अग्र कपाट आठवें खंड से और शेष दो जोड़ी कपाट नवे खंड से विकसित होते हैं।

कीटों के रंग

कीट तीन प्रकार के रंगों के होते हैं–रासायनिक, रचनात्मक और रासायनिक रचनात्मक। रासायनिक रंगों में निश्चित रासायनिक पदार्थ पाए जाते हें जो अधिकतर उपापचय की उपज होते हैं। कुछ कीटों में ये पदार्थ उत्सर्जित वस्तु के समान होते हैं। इनमें कुछ रंग बाह्यत्वक में पाए जाते हैं, जो काले, भूरे और पीले होते हैं तथा स्थायी रहते हैं। हाइपोडर्मिल वाले रंग छोटे–छोटे दानों अथवा वसाकणों के रूप में कीट की कोशिकाओं में वर्तमान रहते हैं। ये रंग लाल, पीले, नारंगी और हरे होते हैं तथा कीट की मृत्यु के पश्चात शीघ्र लुप्त हो जाते हैं। कुछ रंग रक्त और वसापिंडक में भी पाए जाते हैं। रचनात्मक रंग बाह्यत्वक की रचना के कारण प्रतीत होते हैं और बाह्यत्वक में परिवर्तन होने से नष्ट हो जाते हैं। बाह्यत्वक के सिकुड़ने, फूलने अथवा उसमें किसी अन्य द्रव्य के भर जाने से भी रंग नष्ट हो जाता है। रासायनिक–रचनात्मक रंग रासायनिक और रचनात्मक पदार्थों के मिलने से बनते हैं। कीटों के आंतरिक शरीर की रचना इस प्रकार है–

पाचक तंत्र

पाचक तंत्र तीन भागों में विभाजित रहता है– अग्र आंत्र, मध्य आंत्र और पश्च आंत्र। अग्र और पश्चांत्र शरीरभित्ति के भीतर भित्ति भीतर की ओर महीन बाह्यत्वक से ढकी रहती है, किंतु मध्यांत्र थैली के समान पृथक विकसित होता है और अग्रांत तथा पश्चांत्र को जोड़ता है। अग्रांत में एक सकरी ग्रासनली होती है, एक थैली के आकार का अन्नग्रह (क्रॉप, Crop) और प्राय एक पेशणी भी होती है। अग्रांत के दोनों ओर लार ग्रंथियाँ होती हैं। दोनो ही मिलकर प्रमुख गुहा में खुलती हैं। मध्यांत्र छोटी होती है तथा इसमें से प्राय उंडुक (सीका, Caeca) निकले रहते हैं। पश्चांत्र दो भागों में विभाजित रहता है, अग्र भाग नलिका समान आंत्र और पश्च भाग थैली के समान मलाशय बनाता है। मध्य और पश्चांत्र के संधिस्थान के महीन महीन निसर्ग (मैलपीगियन, Malpighiam) नलिकाएँ खुलती हैं।

कीट लगभग सभी प्रकार के कार्बनिक पदार्थ अपने भोजन के काम में ले लेते हैं। इस प्रकार साधारण प्रकार के लगभग सारे किण्वज (engyme)

कीटों के पाचकतंत्र में पाए जाते हैं। लार ग्रंथियाँ एमाइलेस (Amylasa) का उत्सर्जन करती है, जो ग्रासनली में प्रवेश करते समय भोजन से मिल जाता है। कार्बोहाइड्रेट का पाचन मध्य आंत्र में ही पूरा होता है। मध्यांत्र में ये किण्वज पाये जाते हैं–एमाइलेस, इनवर्टेस (envertase), मालटेस (Maltase), प्रोटियेस (Protease), लाइपेस (Lipase) और हाइड्रोलाइपेस (Hydrolipase)। ये क्रमानुसार स्टार्च, गन्ने की शर्करा, मालटोस, प्रोटीन और चर्बी को पचाते हैं। ये किण्वज अन्नग्रह (Crop) में पहुँच जाते हैं जहाँ अधिकतर पाचन होता है, केवल तरल पदार्थ ही पेषणी द्वारा मध्यांत्र में पहुँचते हैं जहाँ केवल अवशोषण होता है। पश्चांत्र अनपची वस्तुएँ गुदा द्वारा बाहर निकाल देता है।

उत्सर्जन तंत्र

मैलपीगियन (निसर्ग) नलिकाएँ ही मुख्य उत्सर्जन इंद्रियाँ हैं। ये शरीरगुहा के रक्त में से उत्सर्जित पदार्थ अवशोषण कर पश्चांत्र में ले जाती है। नाइट्रोजन, विशेष करके यूरिक अम्ल या इसके लवण, जैसे अमोनियम यूरेट, बनकर उत्सर्जित होता है। यूरिया केवल बहुत ही मात्रा में पाया जाता है।

परिवहन तंत्र

पृष्ठवाहिका मुख्य परिवहन इंद्रिय है। यह शरीर की पृष्ठभित्ति के नीचे मध्यरेखा में पाई जाती है। यह दो भागों में विभाजित रहती है–हृदय और महाधमनी। हृदय के प्रत्येक खंड में एक जोड़ी कपाटदार छिद्र, मुखिकाएँ होती हैं। जब हृदय में संकोचन होता है तो ये कपाट रक्त को शरीरगुहा में नहीं जाने देते। कुछ कीटों में विशेष प्रकार की स्पंदनीय इंद्रियाँ पक्षों के तल पर, श्रृगिकाओं और टाँगों में, पाई जाती हैं। पृष्ठ मध्यच्छदा (डायफ्राम, diaphram) जो हृदय के ठीक नीचे की ओर होती हैं, पृष्ठवाहिका के बाहर रक्तप्रवाह पर कुछ नियंत्रण रखती है। पृष्ठ मध्यच्छदा के ऊपर की ओर से शरीरगुहा के भाग को परिहृद (परिकार्डियल, Pericardial) विवर (साइनस, sinus) कहते हैं। यह दोनों ओर पृष्ठभित्ति से जुड़ा रहता है। कुछ कीटों के प्रतिपृष्ठ मध्यच्छदा भी होती है। यह उदर में तंत्रिकातंतु के ऊपर पाई जाती हैं। उस मध्यच्छदा के नीचेवाले शरीरगुहा के भाग का परितंत्रिक्य (पेरिन्यूरल, Perineural) विवर कहते है। इसकी प्रगति के कारण इसके नीचे के रक्त का प्रवाह पीछे की ओर और दाँए–बाएँ होता है। पृष्ठवाहिका मे रक्त आगे की ओर प्रवाहित होता है और उसके द्वारा रक्तसिर में पहुँच जाता है। वहाँ के विभिन्न

इंद्रियों और अवयवों में प्रवेश कर जाता है। दोंनों मध्यच्छदाओं की प्रगति के कारण शरीरगुहा मे रक्त का परिवहन होता रहता है। अंत में मध्यच्छदा के छिद्रो द्वारा रक्त परिह्रद विवर में वापस आ जाता है। वहाँ से रक्त मुखिकाओं द्वारा फिर पृष्ठवाहिका में भर जाता है। रक्त में प्लाविका होती है, जिसमें विभिन्न प्रकार की कणिकाएँ पाई जाती हैं। रक्त द्वारा सब प्रकार के रसद्रव्यों की विभिन्न इंद्रियों में परस्पर अदला–बदली होती रहती है। यही हारमोन की ओर आहारनली से भोजन को सारे शरीर में ले जाता है, उत्सर्जित पदार्थ को उत्सर्जन इंद्रियों तक पहुँचाता है तथा रक्त श्वसनक्रिया में भी कुछ भाग लेता है। परिह्रद कोशिकाएँ या नेफ्रोसाइट (Nephrocyte) प्राय ह्रदय के दोनों ओर लगी रहती हैं। ये उत्सर्जन योग्य पदार्थो को रक्त से पृथक कर जमा कर लेती है। तृणाभ कोशिकाएँ (ईनोसाइट, Oenocytes) प्राय हल्के पीले रंग की कोशिकाएँ होती है, जो विभिन्न कीटों में विभिन्न स्थानों पर पाई जाती हैं। कुछ कीटों में ये श्वासरध्रं (स्पायरेकिल, Spiracle) के पास मिलती हैं। संभवत इनका कार्य भी उत्सर्जन और विषैले पदार्थो को रक्त से पृथक करना है। इनका वृद्धि और संभवत जनन से विशिष्ट संबंध रखता है। वसापिंडक या अव्यवस्थित ऊतक शरीरगुहा में पाया जाता है। कभी कभी इनका विन्यास खंडीय प्रतीत होता है। वसापिंडक पत्तर, या ढीले सूत्रों (स्टाँड्स, Strands) अथवा ढीले ऊतकों के समान होते हैं। उनका मुख्य कार्य संचित पदार्थो के रक्त से पृथक कर अपने में जमा करना है। कुछ कीटों में यह उत्सर्जन का कार्य भी करते हैं। पांडुरग्रंथियाँ (Corpora allata) एक जोड़ी निश्रोत ग्रंथियाँ होती हैं, जो ग्रसिका के पास, मष्तिष्क के कुछ पीछे और कॉरपोरा कार्डियेका (Corpora cordieca) से जुड़ी हुई पाई जाती हैं। ये तारुणिका हारमोन का उत्सर्जन करती हैं, जो रूपांतरण और निर्मोचन पर नियंत्रण रखता है।

श्वसन तंत्र

यह श्वासप्रणाल (Trachea) नामक बहुत सी शाखा वाली वायुनलिकाओं का बना होता है। श्वासप्रणाल में भीतर की ओर बाह्यत्वक का आवरण रहता है, जिसमें पेंटदार अर्थात घुमावदार स्थूलताएँ (thickenings) होती हैं, जिससे श्वासप्रणाल सिकुड़ने नहीं पाता। हवा भरी रहने पर ये चाँदी के समान चमकती है। श्वासप्रणाल में विभाजित हो जाती है। ये शाखाएँ स्वयं भी महीन शाखाओं में विभाजित हो जाती है। इस विभाजन के कारण अंत में श्वासप्रणाल

की बहुत महीन–महीन नलिकाएँ बन जाती हैं जिन्हें श्वासनलिकाएँ (Tracheoles) कहते हैं। ये शरीर की विभिन्न इंद्रियों में पहुँचती हैं। कहीं–कहीं श्वासप्रणाल बहुत फैलकर वायु की थैली बन जाता है। शरीरभित्ति में दाएँ–बाएँ पाए जाने वाले जोडीदार छिद्रों द्वार जिन्हें श्वासरध्रं कहते हैं, वायु श्वासप्रणाल में पहुँचती है। श्वासरध्रं में बन्द करने और खोलने का भी साधन रहता है। प्राय ऐसी रचना भी पाई जाती हैं जिसके कारण कोई अन्य वस्तु इनमें प्रवेश नहीं कर पाती। लाक्षणिक रूप से कुल दस जोड़ी श्वासरध्रं होते हैं, दो जोड़ी वक्ष में और आठ जोड़ी उदर में। किंतु प्राय यह संख्या कम हो जाती है। श्वसनगति के कारण वायु सुगमता से श्वासरध्रं में से होकर श्वासप्रणाल में ओर वहाँ से विसरण (Diffusion) द्वारा श्वासनलिकाँओं में, जहाँ से अंत में ऊतकों को आक्सिजन मिलती है, पहुँचती है। कार्बन डाइ–आक्साइड कुछ तो झिल्लीदार भागों से विसरण द्वारा और कुछ श्वासरध्रों द्वारा बाहर निकल जाता है। उदर की प्रतिपृष्ठ (Dorsoventral) पेशियो के सिकुडने से शरीर चौरस हो जाता है, या उदर के कुछ खंड भीतर घुस जाते हैं, जिससे शरीर गुहा का विस्तार घट जाता है और इस प्रकार निश्वसन हो जाता है।

शरीर

खंडों की प्रत्यास्थता के कारण शरीर अपनी उत्तलता (Convexity) पुन प्राप्त कर लेता है। इस प्रकार निश्वसन होता है। बहुत से जलवासी कीट रक्त या श्वासप्रणाली की जलश्वसनिकाओं द्वारा श्वसन करते हैं। जिन कीटों में श्वासप्रणाल का लोप होता है उनमें त्वचीय श्वसन होता है।

तंत्रिका तंत्र

तंत्रिकातंत्र में केंद्रीय तंत्रिकातंत्र, अभ्यंतरांग तंत्रिकातंत्र और परिधिसंवेदक तंत्रिकातंत्र सम्मिलित हैं। केंद्रीय तंत्रिकातंत्र (ब्मदजतंस छमतअवनै लेजमउ) में लाक्षणिक रूप से एक मस्तिष्क, जो ग्रसिका के ऊपर रहता है, और एक प्रतिपृष्ठ तंत्रिकारज्जु (Ventral Nerve Cord) होता है। ये दोनों आपस में संयोजी द्वारा जुड़े रहते हैं। दोनों संयोजी (Connective) ग्रसिका के दाएँ–बाएँ रहते हैं। मस्तिष्क सिर में स्थित और तीन भागों में विभाजित रहता है–प्रोटोसेरेब्रम (Protocerebrum), ड्यूटोसेरेब्रम (Deuto-cerebrum) और ट्राइटोसेरेब्रम (Tritocerebrum)। उनमें तंत्रिकाएँ नेत्रों और शृंगिकाओं को जाती हैं। प्रतिपृष्ठ

तंत्रिकातंतु में शरीर के लगभग प्रत्येक खंड में एक एक गुच्छिका पाई जाती है। पहली उपग्रसिका गुच्छिका सिर में ग्रसिका के नीचे रहती हैं। इस में से तंत्रिकाएँ मुख भागों को जाती हैं। आगामी तीन गुच्छिकाएँ वक्ष के तीन खंडों में स्थित होती है, जिनकी तंत्रिकाएँ पक्षों और टागों को जाती हैं। तंत्रिकातंतु की शेष गुच्छिकाएँ उदर में स्थिति रहती हैं। बहुत से कीटों में इनमें से बहुत सी गुच्छिकाओं का समेकन हो जाता है, जैसे घरेलू मक्खी और गुंबरैला में उदर और वक्ष की सब गुच्छिकाएँ मिलकर एक सामान्य केन्द्र बन जाती हैं। मष्तिष्क संवेदना और आसंजन का मुख्य स्थान है तथा दाईं–बाईं पेशियों के सामान्यत रहनेवाली उचित दशा (Tonus) पर प्रभाव डालता है। उदर की गुच्छिकाएँ विशेष रूप से स्वतंत्रता प्रदर्शित करती हैं। प्रत्येक गुच्छिका अपने खंड का स्थानीय केन्द्र सी बन जाती है। यदि उचित रीति से उद्दीपन किया जाए और अंतिम गुच्छिका तथा इसकी तंत्रिकाओं को कोई हानि न पहुँची तो जीवित उदर, जो वक्ष से पृथक कर दिया गया है, अंडारोपण कर सकता है। अभ्यंतरांग तंत्रिकातंत्र (Stomato-gastric Nervous System) अभयंत्र के ऊपर पाया जाता है और इसमें से ह्रदय तथा अग्रतंत्र तो तत्रिकाएँ जाती हैं। परिधि तंत्रिकातंत्र (Peripheral Nervous System) इंटेग्यूमेंट (Integument) के नीचे रहता है।

ज्ञानेंद्रियाँ

संयुक्त नेत्र और सरल नेत्र दृष्टि संबंधी इंद्रियाँ हैं। लाक्षणिक रूप से प्रोढ़ों और प्राय निम्फो में दोनों ही प्रकार के नेत्र पाए जाते हैं; किंतु डिंभों में केवल सरल नेत्र ही पाए जाते हैं जो दाएँ बाएँ होते हैं। संयुक्त नेत्र में बहुत से पृथक–पृथक चाक्षुष भाग होते हैं, जिन्हें नेत्राणु

(ओमेटिडिया, Ommatidia) कहते हैं। ये बाहर से पारदर्शक कोर्निया से ढके रहते हें। कोर्निया षट्कोण लेंजों (लेंजेज, स्मदेमे) में विभाजित रहती है। लेंजों की संख्या इनकी भीतरी ओमेटीडिया की संख्या से ठीक बराबर होती है। सरल नेत्र में केवल एक ही उभयोत्तल लेंज होता है जो चाक्षुष भाग के ऊपर रहता है। दिन और रात में उड़नेवाले कीटों के ध्नेत्रों में अंतर होता है। रात में उड़नेवाले कीटों नेत्रों में अंतर होता है। रात में उड़ने वाले कीटों के संयुक्त नेत्रों में एक रचना होती है, जो टेपेटम (Tapetum) कहलाती है। टेपटेम नेत्रों में प्रवेश कर्नेवाले प्रकाश को परावर्तित करता है, अतरू नेत्र अँधेरे में चमकते हैं। संयुक्त नेत्रों में प्रतिबिंब दो प्रकार का बनता है। जो नेत्राणु चारों और से काले रंजक

(Pigment) से ढका रहता है, उसमें केवल वे ही किरणें प्रवेश कर पाती हैं जो नेत्राणु के समांतर होती हैं। शेष सब किरणें रंजक द्वारा अवशोषित हो जाती हैं। इस प्रकार बना हुआ प्रतिबिंब एक कुट्टम चित्र (मोजेइक, mosaic) होगा और उतने भागों का बना होगा जितनी कोर्निया में मुखिकाएँ होंगी। इस रचना के कारण केवल थोड़ा–सा ही प्रकाश उपयोगी होता है, किंतु प्रतिबिंब अधिक स्पष्ट होता है जिन नेत्राणुओं के केवल भीतरी भाग ही रंजक से ढके रहते हैं उनमें उनकी मुखिकाओं के अतिरिक्त पासवाली अन्य मुखिकाओं की किरणें भी प्रवेश कर पाती हैं। ऐसे प्रतिबिंब में लगभग सभी किरणों का उपयोग हो जाता है, किंतु प्रतिबिंब प्रायः कम स्पष्ट होता है।

कर्ण

बहुत से कीटों में कर्ण होते हैं, जो शरीर के विभिन्न भागों में पाए जाते हैं। बहुत से टिड्डों और टिड्डियों में उदर के अग्रभाग में दोनों ओर कर्ण पाए जाते हैं। खेरिया के कर्ण में बाहरी ओर एक झिल्ली होती है, जिसके भीतर की ओर संवेदक कोशिकाओं का एक गुच्छा रहता है। श्वासप्रणाल की वायुथैलियों का कर्ण से समागम रहता है। ये अनुनादक (रेजोनेटर, Resonator) का कार्य करते हैं। जब ध्वनितरंगे झिल्ली पर टकराती हैं तो उसमें कंपन उत्पन्न होता है, जो अंत में संवेदक कोशिकओं को प्रभावित करता है। कीट अधिक उच्च आवृत्ति की ध्वनियाँ भी सुन सकते हैं, जैसे लगभग 45,000 आवृत्ति प्रति सेंकड तक की ध्वनि। कीटों में वाणी नहीं होती, किंतु वे ध्वनि उत्पन्न कर सकते हैं। ध्वन्युत्पादन की अनेक विधियाँ हैं। टिड्डिभ अपने पश्च ऊर्विका का भीतरी किनारा, जिसपर नन्हीं कीलें सीधी रेखा में पाई जाती हैं। उसी ओर के अग्रपक्ष की रेडियस शिरा के मोटे भाग पर रगड़कर ध्वनि उत्पन्न करता है। खेरिया अपने एक अग्रपक्ष के क्यूविटस शिरा की कीलों के दूसरे अग्रपक्ष के किनारे के मोटे भाग पर रगड़ कर ध्वनि उत्पन्न कराता।

घ्राणेद्रियाँ

घ्राणेद्रियाँ विशेषकर श्रृंगिकाओं पर ही पाई जाती है और विभिन्न प्रकार की होती हैं। इनकी संख्या नर में प्रायः अधिक होती है, जैसे नर मधुमक्खी की श्रृंगिका पर लगभग 30,000 कर्मकार में 6,000 और रानी में केवल 2,000। स्वादेंद्रियाँ बहुत से कीटों में एपिफैरिंग्स पर, कई एक में मुख के किनारे तथा स्पर्शिनियों पर पाई जाती हैं। अन्य प्रकार का ज्ञान शरीर के विभिन्न भागों

पर उगे हुए परिवर्तित बालों या विशेष प्रकार के नन्हें काँटों द्वारा होता है। ये इंद्रियाँ बाल, रिकाबी या कील आदि के आकार की होती हैं।

पेशी तंत्र

कीटों में रेखित पेशियाँ पाई जाती हैं, जो दो भागों में विभाजित की जा सकती है: 1. कंकाल पेशियाँ ये फीते के आकार की होती हैं, शरीरभित्ति पर जुड़ी रहती हैं और शरीर के खंडों में गति करने का कार्य करती है: 2. आंतरंगीय पेशियाँ आंतरिक अंगों को ढके रहती है; इनके तंतु लंबाकार और वर्तुलाकार होते हैं, जैसे आंत्र के चारों ओर। कीटों में पेशियों की संख्या बहुत अधिक होती है, कभी कभी लगभग 4,000 तक पेशियाँ होती हैं। कुछ कीट बहुत ही धीमे चलते हैं, कुछ दौड़ते हैं और कुछ बड़ी चपलता से उड़ते हैं। अनेक कीट अपने शारीरिक भार से दस से बीस गुना तक बोझ वहन सकते हैं। पिस्सू, जिसकी टाँगे 1.20 इंच लंबी होती हैं, 8 इंच तक की ऊँचाई और 13 इंच तक की लंबाई कूद सकता है। यह शक्ति इसकी पेशियों के परिमाण के अनुरूप है। जो पेशी जितनी अधिक छोटी होगी उसमें अनुपातिक दृष्टि से उतनी ही अधिक क्षमता होगी।

जननेंद्रियाँ और मैथुन

नर और मादा दोनों प्रकार जननेंद्रियाँ कभी भी एक ही कीट में नहीं पाई जातीं। नर कीट मादा कीट से प्रायः छोटा होता है। नर में एक जोड़ी वृषण होता है और प्रत्येक वृषण में शुक्रीय नलिकाएँ होती हैं, जो शुक्राणु का उत्पादन करती हैं। वृषण से शुक्राणु शुक्रवाहक में पहुँच जाते हैं और अंत में स्खलनीय (Ejaculatory) नलिका में पहुँचते हैं, जो शिशन में खुलती है। कभी–कभी शुक्रवाहक किसी निश्चित स्थान में फैल जाते हैं और शुक्राणु जमा करने के लिए शुक्राशय बन जाते हैं। किन्हीं–किन्हीं में सहायक (accessory) ग्रंथियाँ भी पाई जाती हैं। मादा में एक जोड़ी अंडाशय होता है, प्रत्येक में अंडनलिकाएँ होती हैं, जिनमें विकसित होते हुए अंडे पाए जाते हैं। अंडनलिकाओं की संख्या विभिन्न जाति के कीटों में भिन्न–भिन्न हो सकती है। परिपक्व होकर अंडे अंडवाहिनी में आ जाते हैं और वहाँ से सामान्य अंडवाहिनी (Common Oviduct) में पहुँचकर मादा के जनन संबंधी छिद्र द्वारा बाहर निकल जाते हैं प्रायः एक शुक्रधानी शुक्राणु जमा करने के लिये और एक या दो जोड़ी सहायक ग्रंथियाँ भी उपस्थित रहती हैं। नर की सहायक ग्रंथियाँ

एक द्रव पदार्थ उत्सर्जित करती हैं जो शुक्राणुओं में मिश्रित हो जाता है। कभी कभी शुक्राणुओं को कोषाकार पैकेट बन जाता है, जो शुक्रकोष (स्पमैटोफोर, Spermatophore) कहलाता है मादा की सहायक ग्रंथियाँ का स्राव अंडों को एक साथ जोड़ता है, या पत्तियों अथवा अंडों को अन्य वस्तुओं से चिपकाता है। कभी कभी इस स्राव से अंडों को रखने के लिए थैली भी बन जाती है, जैसे तेलचट्टा में। बर्रे की ये ग्रंथियाँ विष उत्पन्न करती हैं, जो डंक मारते समय शिकार के शरीर में प्रविष्ट कर जाता है। अंडसंसेचन दोनों लिंगों के संयोग पर निर्भर है। कुछ कीटों में यह जीवन में कई बार हो सकता है।

जनन

यह साधारण रूप से मैथुन और शुक्राण द्वारा अंडे के संसेचन पर निर्भर करता है। अधिकतर कीट अंडे देते हैं, जिनसे कालांतर में बच्चे निकलते हैं, किंतु कुछ कीट अंडों के स्थान में डिंभ या निंफ के जन्म देते हैं। ऐसे कीटों को जरायुज कहते हैं, जैसे द्रुयूका और ग्लोसाइना (Glossina)।

अनिषेक जनन

कुछ कीट अंडे का शुक्राणु से संसेचन नहीं करते। इस प्रकार का जनन अनिषेकजनन (Parthenogenesis) कहलाता है। कुछ जातियों में यह एक अनूठी और कभी कभी होनेवाली घटना होती है, तथा कुछ शलभों में असंसेचित (अनफर्टिलाइज्ड, unfertilized) अंडों से नर और मादा दोनों ही उत्पन्न होती हैं। सामाजिक मधुमक्खियों में अनिषेकजनन बहुधा होता है, किंतु असंसेचित अंडों से केवल नर ही उत्पन्न होते हैं। कुछेक स्टिक (Stick) कीटों में असंसेचित अंडों से अधिकतर मादा ही उत्पन्न होती हैं और नर बहुत ही कम। साफिलाईज में नरों की उत्पत्ति संभवतः होती ही नहीं, इस कारण संसेचन हो ही नहीं सकता। फलतः केवल अनिषेकजनन होता है। द्रुमयूका (Aphides) में चक्रीय अनिषेकजनन होता है, अर्थात असंसेचित और संसेचित अंडों में उत्पादन नियमानुसार क्रम से होता रहता है। कुछेक जातियों में अपपिक्व (Immature) कीट भी जनन करते हैं। इस घटना को पीडोजेनेसिस (Paedogenesis) कहते हैं। माइएस्टर (Miastor) कीट के डिंभ अन्य डिंभों का उत्पादन करते हैं और इस प्रकार कई पीढ़ी तक उत्पादन होता रहता है। इसके पश्चात इनमें से कुछ डिंभ परिवर्धित होकर प्रौढ़ नर और मादा बन

जाते हैं, जो परस्पर मैथुन के पश्चात डिंभ उत्पन्न करते हैं। इन डिंभों से पहले की भांति फिर उत्पादन आरंभ हो जाता है। बहुभ्रूणता (पॉलिएंब्रियोनी, Polyembryony) का अर्थ है। एक अंडे से एक से अधिक कीटों का उत्पन्न होना। इस प्रकार का उत्पादन पराश्रयी कलापक्षों में पाया जाता है। प्लैटिगैस्टर हीमेलिस (Platigastor hiemalis) के कुछ अंडों में से दो डिंभ उत्पन्न होते हैं, किंतु किसी किसी पराश्रयी कैलसिड (Chalcid) के प्रत्येक अंडे से लगभग एक सहस्र तक डिंभ उत्पन्न हो जाते हैं।

मैथुन

कुछ कीटों में मैथुन केवल एक ही बार होता है। तत्पश्चात मृत्यु हो जाती है, जैसा एफिमेरॉप्टरा (Ephimeroptero) गण के कीटों में। मधुमक्खी की रानी यद्यपि कई वर्ष तक जीवित रहती है, तथापि मैथुन केवल एक ही बार करती है और एक ही बार में इतनी पर्याप्त मात्रा में शुक्राणु पहुँच जाते हैं कि जीवन भर इसके अंडों का संसेचन करते रहते हैं। मैथुन के पश्चात नर की शीघ्र ही मृत्यु हो जाती है। बहुत से कीटों के नर जीवन में कई बार पृथक–पृथक मादाओं से मैथुन करते हैं और बहुत से कंचुकपक्षों के नर और मादा दोनों बारबार मैथुन करते हैं।

अंडे

अंडे साधारणतया बहुत छोटे होते हैं। फिर भी अंडे को देख कर यह बतलाना प्रायः संभव होता है कि अंडे से किस प्रकार का कीट निकलेगा। बहुधा यह बात बहुत महत्व रखती है, क्योंकि इससे हानिकारक कीटों की हानिकारक दशा के विषय में भविष्यवाणी की जा सकती है। इसलिए अंडों के आकार, रूप और रंग तथा अंडे रखने के स्थान और विधि का ध्यान रखना आवश्यक है। अंडे समतल, शल्क्याकार, गोलाकार, शंक्वाकार तथा चौड़े हो सकते हैं। अंडे का ऊपरी आवरण पूर्ण रूप से चिकना या विभिन्न प्रकार के चिन्ह्नोंवाला होता है। अंडे पृथक पृथक या समुदायों में रखे जाते हैं। तेलचट्टे (Cockroach) के अंडे डिंभकोष्ठ (Ootheca) के भीतर रहते हैं। जलवासी कीटों के अंडे चिपचिपे लसदार पदार्थ से ढके रहते हैं। अंडे में वृद्धि करते हुए भ्रूण के पोषण के लिए पर्याप्त मात्रा में भोजन, जो योक (Yolk) कहलाता है, पाया जाता है।

अंडरोपण और अंडा रखने की शक्ति

अंडारोपण विभिन्न प्रकार से होता है। अंडे ऐसे स्थानों पर रखे जाते हैं, जहाँ उत्पन्न होनेवाली संतान की तत्कालीन आवश्यकताएँ पूर्ण हो सकें। कुछ जातियों की मादाएँ नीची उड़ान उड़ती, अपने अंडे अनियमित रीति से गिराती चली जाती हैं। बहुत से शलभों की मादाएँ, जिनके डिंभ घास या उसकी जड़ खाते है, उड़ते समय अपने अंडे घास पर गिराती चली जाती हैं। साधारणतया अंडे ऐसे पौधों पर रखे, पौधों के ऊतकों में प्रविष्ट कर दिए जाते हैं जिनको डिंभ खाते हैं, जैसे कुछ प्रकार के टिड्डों में। कुछ कीट अपने अंडे मिट्टी में रखते हैं। पराश्रयी जातियों के कीट अपने अंडों को उन पोषकों के ऊपर या भीतर रखते हैं, जो उनकी संतानों का पोषण करते हैं।

विभिन्न जातियों की मादाओं के अंडों की संख्या विभिन्न होती है। द्रुमयूका की कुछ जातियों की मादाएँ शीतकाल में केवल एक ही बड़ा अंडा रखती हैं। घरेलू मक्खी अपने जीवन में 2,000 से अधिक अंडे रखती है। दीमक की रानी में अंडा रखने की शक्ति सबसे अधिक होती है। यह प्रति सेकंड एक अंडा दे सकती है और अपने छह से बारह वर्ष तक के जीवन में 10,00,000 अंडे देती है।

परिवर्धन

अंडे के संसेचन के पश्चात परिवर्धन आरंभ हो जाता है। प्रारंभ में दो स्तरवाला मूल पट्टा या जर्म बैंड (Germ band) बनता है, जो अनुप्रस्थ (transverse) रेखाओं द्वारा बीस अंडों में विभक्त हो जाता है। अगले छह खंड सिर, परवर्ती तीन खंड वक्ष और शेष खंड टेलसन (Telson) के साथ मिलकर उदर बनाते हैं। प्रथम खंड और टेलसन के अतिरिक्त प्रत्येक खंड में एक जोड़ा भ्रूणीय अवयव विकसित हो जाता है। अवयवों के प्रथम युग्म का संबंध द्वितीय खंड से रहता है और इनसे शृंगिकाएँ बनती हैं। द्वितीय जोड़ी बहुत ही छोटी और क्षणिक होती है। तीसरी, चौथी और पाँचवी जोड़ी के अवयव विकसित होकर मैंडिबल, मैक्सिला और लेबियम बन जाते हैं। इनके पीछे वाले तीन जोड़ी अवयव कुछ बड़े तथा स्पष्ट होते हैं। ये टाँगों के अग्रवर्ती है। उदर के अवयवों की अंतिम जोड़ी सरसाई बन जाती हैं किंतु शेष सब जोड़ियाँ डिंभ निकलने से पूर्व ही प्रायः नष्ट हो जाती है।

अंडे से बच्चा निकलना–भ्रूण जब पूर्ण रीति से विकसित हो जाता है और अंडे से बाहर निकलने को तैयार होता है, तब शुक्ति में पहले से बनी हुई टोपी को अपने अंडा फोड़ने वाले काँटों से हटाकर बाहर निकल आता है। कुछ कीटों में आरंभ में भ्रूण वायु निगलकर अपना विस्तार इतना बढ़ा लेते

हैं कि शुक्ति टूट जाती है। बच्चे को बाहर निकलने में उसकी पेशियाँ सहायता करती हैं।

वृद्धि

अंडे से निकलने के पश्चात ही वृद्धि आरंभ होती है। जन्म से प्रौढ़ता तक कीट के आकार में जो वृद्धि होती है वह अत्यधिक आश्चर्य जनक है। प्रौढ़ कीट की तौल जन्म होने के समय की तौल से 1,000 से 70,000 गुना तक हो सकती है। इतनी अधिक वृद्धि ऐसे खोल के भीतर, जिसका विस्तार बढ़ नहीं सकता, नहीं हो सकती। अतः खोल का टूटना अति आवश्यक है। यह केंचुल के पतन (Moulting) से ही संभव है। जीर्ण बाह्यत्वक को केंचुल कहते हैं। जीर्ण बाह्यत्वक (केंचुल) के फटने से पूर्व ही इसके भीतरवाले अधिचर्म की कोशिकाएँ नवीन बाह्यत्वक का उत्सर्जन कर देती हैं। तत्पश्चात इनमें से कुछ विशेष प्रकार की कोशिकाओं से, जो केंचुल ग्रंथियाँ कहलाती हैं, एक द्रव पदार्थ निकलता है। यह द्रव पदार्थ पुराने बाह्यत्वक के भीतरी स्तर को विलीन कर नए बाह्यत्वक से पृथक कर देता है, इसको कोमल भी बना देता है तथा स्वयं पुराने और नए बाह्यत्वक के मध्य एक महीन झिल्ली सी बन जाती है। ऐसे समय में कीट में वृद्धि हो जाती है। केंचुल पतन के पश्चात कीट की आकृति को इन्स्टार (Instar) कहते हैं। जब कीट अंडे से निकलता है तो प्रथम इन्स्टार होता है, प्रथम केंचुल पतन के पश्चात कीट द्वितीय इन्स्टार होता है, अंतिम इनस्टार पूर्ण कीट या प्रौढ़ कीट कहलाता है।

रूपांतरण

अधिकतर कीटों में अंडे से जो डिंभ निकलता है उसकी आकृति और रूप वयस्क कीट से बहुत भिन्न होता है। बहुत से कीटों में डिंभ की आकृति और रूप में प्रौढ़ बनने तक अनेक परिवर्तन आ जाते हैं। इस प्रकार के परिवर्तनों को रूपांतरण (metamorphosis) कहते हैं। जिन कीटों में रूपांतरण नहीं होता उन्हें रूपांतरणहीन (एमेटाबोला, Ametabola) कहते हैं। इसका उदाहरण लेहा (लेपिजमा, Lepisma) है। अधिकतर कीटों में रूपातंरण होता है और ऐसे कीट मेटाबोला (Metabola) कहलाते हैं। कीटों में दो प्रकार के क्रियाशील अप्रौढ़ पाए जाते हैं। ये निंफ और डिंभ कहलाते हैं। निंफ उस अप्रौढ़ अवस्था के कीट को कहते हैं जो अंडे से निकलने पर अधिक उन्नत होता है। निंफ का पूर्ण कीट से यह भेद होता है कि इसमें पक्ष तथा बाह्य

जननेंद्रियाँ विकसित नहीं होती। ये स्थल पर रहते हैं और पक्षों का विकसन बाह्य रूप से होता है। निंफ से पूर्ण कीट तक की वृद्धि क्रमिक होती है और प्यूपा नहीं बनता है। इस प्रकार के परिवर्तन का अपूर्ण रूपांतरण तथा कीट समुदाय को हेमिमेटाबोला (hemimetabola) कहते हैं, जैसे ईख की पंखी। डिंभ उस अप्रौढ़ अवस्था के कीट से बहुत भिन्न होता है। इसमें पक्षों का कोई भी बाह्य चिन्ह नहीं पाया जाता। डिंभ को पूर्ण कीट बनने से पहले प्यूपा बनना पड़ता है। इस प्रकार के परिवर्तन को पूर्ण रूपांतरण (होलोमेटाबोला, Holometabola) कहते हैं, जैसे घरेलू मक्खी में। अत्यल्प कीटों में उपरिपरिवर्धन होता है। इन डंभों में डिंभ अवस्था में भी अत्यधिक परिवर्तन पाया जाता है। इनमें चार या इससे अधिक स्पष्ट इन्स्टार होते हैं। इनके जीवन और व्यवहार में भी बहुत भेद पाया जाता है। इस प्रकार के परिवर्तन को हायपर (Hyper) रूपांतरण कहते हैं, जैसा कैंथेरिस (Cantharis) में। कीटों में रूपांतरण के नियमन का दो हारमोनों से संबंध होता है– केंचुल पतन कारक हारमोन और शैशव (juvenile) हारमोन। केंचुल–पतन–कारक हारमोन प्रायः वक्षीय ग्रंथि उत्सर्जित करता है। यह हारमोन कीट का केंचुलपतन करता है। प्रौढ़ में वक्षीय ग्रंथि लुप्त हो जाती है, इसलिये केंचुलपतन भी समाप्त हो जाता है। यदि निंफ की वक्षीय ग्रंथि प्रौढ़ में जमा दी जाए तो प्रौढ़ भी केंचुलपतन करने लगेगा। शैशव हारमोन कारपोरा अलाटा उत्सर्जित करते हैं। यह हारमोन प्रौढ़ के लक्षणों को दबाए रखता है और निंफों के लक्षणों के तीव्रता से उभाड़ने में सहायता करता है। रूपांतरण के समय वक्षीय ग्रंथि की क्रियाशीलता बढ़ जाती है और इसके हारमोन का प्रभाव इतना पर्याप्त होता है कि शैशव हारमोनों के प्रभाव को कुचल देता है और इस प्रकार रूपांतरण हो जाता है।

नेऐड (Naiad) जलवासी और बहुत क्रियाशील अप्रौढ़ होते हैं। इनके श्वासरध्रं बंद होते है। श्वसन जलश्वसनिकाओं द्वारा होता है। ये कैंपोडीईफॉर्म (Campodeiform) होते हैं, अर्थात टाँगे भली–भाँति विकसित और शरीर चौरस होता है।

डिंभ

डिंभ होलोमेटाबोलस और हाइपरमेटाबोलस कीटों की एक अप्रौढ़ अवस्था है। डिंभ जब अंडे से निकलते है, तब भिन्न–भिन्न जातियों के अनुसार उनके परिवर्धन की दशाएँ भिन्न–भिन्न हो सकती हैं। इनकी यह दशा कुछ अंश तक

योक की मात्रा पर, जो इनकी वृद्धि के लिए अंडे में उपस्थित रहता है, निर्भर रहती है। प्रायः ऐसा देखा गया है कि जब अंडे में योक की मात्रा कम होती है, तब अंडे से निकलते समय डिंभ अधिक अपूर्ण होता है। डिंभ चार प्रकार के होते हैं (1) प्रोटोपॉड (Protopod) डिंभ पर जीवी कलापक्षों में पाए जाते हैं, क्योंकि इनके अंडों में योक अत्यल्प मात्रा में होता है। ये डिंभ लगभग भ्रूणीय अवस्था में ही होते हैं। इनका जीवित रहना इसलिए संभव होता है कि या तो ये अन्य कीटों के अंडों में या उनके शरीर के भीतर रहते हैं, जहाँ इनको वृद्धि करने के लिए अत्यधिक पुष्टिकर भोजन मिलता है। इनके उदर में खंड या किसी प्रकार के अवयव नहीं पाए जाते हैं। (2) पॉलिपॉड (Polypod) या इरूसिफॉर्म (Eruciform) डिंभों के शरीर में स्पष्ट खंड और उदर पर अवयव भी होते हैं। शृंगिकाएँ और विद्यमान होती हैं, किंतु छोटी होती हैं। ये अपने भोजन के समीप रहते हैं और इस कारण आलसी होते हैं। ऐसे डिंभ इल्ली कहलाते हैं और तितलियों, शलभों तथा साफिलाइज में पाए जाते हैं। (3) ऑलिगोपॉड (Oligopod) डिंभों के वक्षीय अवयव (टाँगें) भली प्रकार विकसित होते हैं, क़िंतु उदर में पुच्छीय अवयव के अतिरिक्त अन्य कोई अवयव नहीं पाए जाते। ये मांसाहारी होते हैं और शिकार की खोज में घूमते फिरते हैं। इन क्रियाशील जीवन के कारण इनके नेत्र तथा अन्य इंद्रियाँ भली प्रकार विकसित होती हैं। ये डिंभ स्थल पर रहने वाले कंचुकपक्षों और जालपक्षों में पाए जाते हैं। (4) ऐपोडस (Apodous) डिंभ कृमि की आकृति के होते हैं। इनकी टाँगे बहुत छोटी होती हैं या पूर्णतया लुप्त हो जाती हैं। ये अनेक समुदाय के कीटों में पाए जाते हैं, जैसे घरेलू मक्खी का डिंभ।

प्रिप्यूपा

डिंभ अवस्था के अंत के निकट कीट रूपांतर की तैयारी करता है और निश्चित रूपांतर होने के पूर्व (प्रिप्यूपा, Prepupa) की दशा में आ जाता है। इस दशा में कीट भोजन करना बंद कर देता है। शरीर बहुत सिकुड़ जाता है और उसका रंग नष्ट हो जाता है। प्रिप्यूपा दशा के पश्चात कीट के शरीर की आकृति में परिवर्तन आ जाते हैं। भविष्य में होने वाले प्रौढ़ के नेत्र और टाँगों के बाह्य विकसन के चिह्न प्रथम बार दृष्टिगोचर होते हैं। प्रायः इसी अंवस्था में कोया (कोकून) बनता है। द्विपक्षों में इसी अवस्था में प्यूपा का खोल बनता है।

प्यूपा

प्यूपा की अवस्था में कीट विश्राम करता है। इसी अवस्था में पक्ष तथा अन्य अवयव अपने अधिचर्म की थैलियों से बाहर निकल आते हैं और प्रत्यक्ष हो जाते हैं। आंतरिक इंद्रियों को भविष्य में बननेवाले पूर्णकीट की आवश्यकताओं के अनुसार पुनर्निर्माण हो जाता है। प्राथमिक प्रकार का प्यूपा डेक्टिकस (Decticous) प्यूपा कहलाता है। इसके अवयव इसके शरीर से नहीं चिपके रहते, वरन्‌ गति कर सकते हैं। मच्छर के प्यूपा जलवासी हैं और चपलता से तैरते रहते हैं। ऑबटेक्ट (Obtect) अर्थात कवचित प्यूपा के पक्ष और टाँगे शरीर से चिपकी रहती हैं। इनमें प्रगति नहीं होती। इस प्रकार के प्यूण अधिकतर शलभों में पाए जाते हैं। कोआर्कटेट (Coarctate) प्यूपा में डिंभ की अंतिम केंचुल का पतन नहीं होता है, किंतु यही केंचुल कड़ी बनकर प्यूपा के बाहर प्यूपरियम बन जाती है। इस प्रकार का प्यूपा घरेलू मक्खी में पाया जाता है।

प्यूपेरियम से निकलते समय कीट अपने खोल का विभिन्न प्रकार से तोड़ते है। चबाकर खाने वाले कीट अपने जंभ (मैंडिबल) से अपने प्यूपेरियम को कुतर–कुतर कर बाहर निकलते हैं। चूसकर भोजन करनेवाले कीट एक तरल पदार्थ का उत्सर्जन करते हैं, जो कोया के रेशम को एक ओर से कोमल कर देता है और इस कारण सहज में ही टूट जाता है। कुछ शल्कि–पक्षों में काँटे होते हैं, जिनसे वे प्यूपेरियम में दरार बनाते है। कुछ द्विपक्षों के सिर पर एक थैली होती हैं, जिसमें वायु भरकर वे प्यूपेरियम के सिरे को दबाते हैं। इस प्रकार यह सिरा टूट जाता है और मक्खी निकल आती है। प्यूपेरियम से निकलते समय कीट सबसे पहले अपने अवयवों को बाहर निकालता है। इस समय इसके पग सिकुड़े होते हैं, फिर रेंगकर सबसे समीप यह जो भी अवलंब पा जाता है उस पर इसी दशा में विश्राम करने लगता है। पक्षों में शरीर के रक्तप्रवाह से और पेशियों के सिकुड़ने तथा फैलने से पक्ष भी शीघ्रता से फैल जाते हैं। प्यूपेरियम से निकलने के कुछ समय पश्चात ही कीट उड़ने का प्रयत्न करने लगता है।

पूर्णकीट का परिवर्धन अपूर्ण रूपांतरणवाले कीटों में पूर्णकीट के परिवर्धन में परिवर्तन क्रमिक और निर्विघ्न होते हैं। ये बाह्य तथा आंतरिक दोनों होते हैं। निंफ की इंद्रियाँ पूर्णकीट की इंद्रियों में परिवर्तित हो जाती है। इसके आकार में वृद्धि के अतिरिक्त बहुत ही थोड़ा अन्य परिवर्तन आता है। पूर्ण रूपांतरणवाले कीटों में डिंभों की इंद्रियाँ और ऊतक प्यूपा की अवस्था में विभिन्न मात्रा में विलय हो जाते हैं। इस विधि को हिस्टोलिसिस (Histolysis)

कहते हैं। साथ ही साथ उनके स्थान में प्रौढ़ की इंद्रियाँ बन जाती हैं। नवीन ऊतकों का यह उत्पादन हिस्टोजिनेसिस (histogenesis) कहलाता है। दोनों प्रकार के परिवर्तन इंद्रियों की अविच्छिन्नता को नष्ट किए बिना ही साथ–साथ होते रहते हैं। वास्तव में पूर्णकीट का बनना डिंभ में ही आरंभ हो जाता है। सबसे पहले पूर्णकीट की कलिकाएँ बनती हैं। ये कलिकाएँ भविष्य में होने वाले कीट के उन सब भागों का, जिनकी इसको आवश्यकता होगी, पुनर्निमाण करती हैं तथा उन सब इंद्रियों को भी बनाती हैं जो डिंभ में नहीं पाई जाती।

डायपाज (Diapause) अर्थात वृद्धि की रोक–अनुकूल परिस्थितियों में बहुत से कीटों का परिवर्धन र्निविघ्न होता रहता है। इस बीच यदि कोई प्रतिकूल परिस्थिति आ जाती है, जैसे निम्न तापय तो कुछ समय के लिये परिवर्धन रूक जाता है, किंतु परिस्थिति सुधरते ही परिवर्धन तुरंत ही फिर आरंभ हो जाता है। किंतु बहुत से ऐसे कीट भी हैं जिनमें बाह्य दशाएँ तो अनुकूल प्रतीत होती है। किंतु कुछ निश्चित परिस्थितियों के कारण परिवर्धन रूक जाता है। वृद्धि की यह रुकावट कुछ सप्ताहों से लेकर कई वर्षों तक की हो सकती है। विभिन्न जातियों के कीटों में यह अवधि प्रायः भिन्न होती है और इस प्रकार परिवर्तन में विलंब हो जाता है। किंतु अंत में यह रूकावट जीव ने इतिहास की किसी एक निश्चित अवस्था में ही होती है। यह अवस्था अंडे की, अपूर्ण कीट की, या वयस्क की, किसी की भी हो सकती है और कीट की जाति पर निर्भर रहती है। रेशम क कृमि शलभ, बांबिक्स मोराइ (BombyÛ mori) जो अंडे शरद ऋतु में देता है उनमें डायपॉज होता है। जब तक गरमी देने से पहले इनके सेंटीग्रेड पर न रखा जाय इन अंडों से डिंभ नहीं निकलते।

जीवनचक्र

समशीतोष्ण और शीतल देशों के कीटों के जीवनचक्र में शीतकाल में शीतनिष्क्रियता (हाइबर्नेशन, Hibernation) पाई जाती है। इन दिनों कीट शिथिल रहता है। अयनवृत्त के देशों में, जहाँ की जलवायु सदा उष्ण और नम होती है, कीटों के जीवचक्र में शीतनिष्क्रियता प्रायः नहीं पाई जाती और एक पीढ़ी के पश्चात दूसरी पीढ़ी क्रमानुसार आ जाती है। भारतीय शलभों में ईख की जड़ को भेदनेवाला शलभ इल्ली की अवस्था में दिसंबर के प्रथम सप्ताह में शीतनिष्क्रिय हो जाता है और प्यूपा बनना मार्च में आरंभ करता है। पैपिलियो डिमोलियस (Papilio demoleus) नामक तितली प्यूपा अवस्था में और पीत बर्रे प्रौढ़ावस्था में शीतनिष्क्रिय होते हैं। पीरिऑडिकल सिकेडा

(Periodical cieada) के, जो उत्तरी अमरीका में पाया जाता है, जीवनचक्र पूरे होने में तेरह से सत्रह वर्ष तक लग जाते हैं, किंतु बहुत सी द्रमयूका ऐसी होती हैं जिनकी एक पीढ़ी लगभग एक सप्ताह में ही पूर्ण हो जाती है। सबसे छोटा जीवनचक्र नन्हें नन्हें कैलसिड नामक कलापक्ष के कीटों का होता है। इन कीटों के डिंभ दूसरे कीटों के अंडों के भीतर पराश्रयी की भाँति रहते हैं और इनका जीवनचक्र केवल सात ही दिन में पूर्ण हो जाता है।

संगीतज्ञ कीट

बहुत से कीट संगीतज्ञ होते हैं। कीट वाणीहीन होते हैं, इसलिए इनका संगीत वाद्य संगीत होता है। ये केवल प्रौढ़ावस्था में ही अपना वाद्य जानते है। प्रायः नर कीट ही संभवतरू मादा को आकर्षित करने के लिए संगीत उत्पन्न करते हैं। इनके वाद्य अधिकतर ढोल के आकार के होते है, अर्थात इन वाद्यों में एक झिल्ली होती है जिसमें तीव्र कंपन होने से ध्वनि उत्पन्न होती है। कंपन उत्पन्न करने की दो विधियाँ है। एक भाग को दूसरे भाग पर रगड़कर जो ध्वनि उत्पन्न की जाती है। उसकी बेला (Violin) से उत्पन्न हुई ध्वनि से तुलना कर सकते हैं। दूसरी विधि में कीट की पेशियों का संकोचन विमोचन होता है। ये पेशियाँ झिल्ली से जुड़ी रहती हैं और इसलिए झिल्ली में भी कंपन होने लगता है। इस प्रकार से ध्वनि उत्पन्न करने का मनुष्य के पास कोई साधन नहीं है। झींगुर, कैटीडिड (Katydid), टिड्डे तथा सिकेडा कीटसमाज की गानेवाली प्रसिद्ध मंडली के सदस्य हैं। झींगुर, कैटीडिड और टिड्डे एक ही गण के अंतर्गत आते हैं। झींगुर और कैटीडिड के एक अग्र पक्ष पर रेती के समान एक फलक होता है, जो दूसरे अग्रपक्ष के उस भाग को रगड़ता है जो किनारे की ओर मोटा सा हो जाता है। कैटीडिड में रेती बाएँ पक्ष पर होती है। कुछ झींगुर अपने दाएँ पक्षवाली रेती से ही काम लेते हैं। टिड्डे के पक्षों पर दाते होते हैं और पिछली टाँगों पर भीतर की ओर तेज किनारा होता है। सिकेडा की पीठ पर दोनों ओर पक्षों के पीछे एक एक अंडाकार छिद्र होता है, जिसपर एक झिल्ली बनी रहती है। इस प्रकार एक ढोल सा बन जाता है। इस झिल्ली पर भीतर की ओर पेशियाँ जुड़ी रहती हैं, जो इसमें कंपन उत्पन्न करती हैं। ढोल में तीलियाँ होती है। इन तीलियों की संख्या भिन्न–भिन्न जातियों में भिन्न होती है। मच्छर दो प्रकार का गान करते हैं, जो प्रेमगान और लालसागान कहलाते हैं। लालसागान द्वारा एक मादा अन्य मादाओं को संदेश देती है कि उसने रुधिर चूसने के लिये शिकार ढूँढ़ लिया है और वे वहाँ

पहुँचकर रुधिर चूस सकती हैं। प्रेमगान नर को मैथुन करने के लिए आकर्षित करता है।

वनस्पति और कीटों का संबंध

कीटों की एक बहुत बड़ी संख्या का जीवन वनस्पतियों पर ही निर्भर है। लगभग प्रत्येक प्रकार का पौधा और उसका प्रत्येक भाग किसी न किसी जाति के कीट का भोजन बन जाता है। ऐसा अनुमान है कि लगभग पचास प्रतिशत कीट अपना निर्वाह पौधों से ही करते हैं। टिड्डियाँ और टिड्डे खुले में रहकर लगभग प्रत्येक पौधा खा जाते हैं। शलभों के डिंभ, साफिलाइज और कंचुकपक्षों की बहुत सी जातियाँ भी पौधों के लगभग प्रत्येक भाग को, या तो खुले में रहकर या छिपकर,खा जाती हैं। ये पत्ते, स्तंभ, जड़ तथा काष्ठ के भीतर रहकर भी अपना भोजन पा जाती हैं। झल्लरीपक्ष, द्रुमयूका तथा पौधों के अन्य मत्कुण पौधों में छेदकर रस चूसते हैं। बहुत से शलभ, मधुमक्खियाँ तथा इनके संबंधी पुष्पस्राव चूसते हैं। कुछ कीट पौधों के ऊत्तकों का रूपांतर कर विचित्र प्रकार की रचना बना देते हैं, जो द्रुस्फोट (Gall) कहलाते हैं। इन रचनाओं में कीट के डिंभों को आश्रय तथा भोजन मिलता है। प्रत्येक पौधा कीटों की अनेक जातियों का पोषण करता है। दो सौ जाति के कीट मकई पर, चार सौ जाति के सेब पर तथा एक सौ पचास से अधिक जातियों के कीट चीड़ के वृक्ष पर निर्वाह करते पाए गए हैं। प्रायः भिन्न–भिन्न जातियों के कीट वृक्ष के भिन्न–भिन्न भागों पर पाए जाते हैं और इस प्रकार कुछ सीमा तक स्पर्धा से बचे रहते हैं। बहुत से कीट अपना पूर्ण जीवन एक ही पौधे पर व्यतीत करते हैं। पत्तों के भीतर रहने वाले, पौधों के भीतर छेद कर रहनेवाले तथा द्रुस्फोट बनाने वाले कीट इसी प्रकार अपना जीवन व्यतीत करते हैं। इनका पौधों में प्रवेश करना पौधे की विशेष दशा पर निर्भर रहता है। अनेक कीट अनेक पौधों पर, या एक ही वर्ग की अनेक जातियों के पौधों पर, आक्रमण करते हैं। साधारणतया प्रत्येक जाति के कीट का पौधा निर्धारित रहता है, तथा अनेक कीट निर्धारित जाति के पौधों के अतिरिक्त किसी अन्य पौधे को नहीं खाते, चाहे उनकी मृत्यु भले ही हो जाए।

बहुत से कीटों और पौधों का संबंध अन्योन्य होता है। ऐसे कीट पराग और मकरंद प्राप्त करने के लिए पुष्पों पर जाते हैं। इन वस्तुओं को प्राप्त करते समय अज्ञान में ही ये पुष्परागण कर देते हैं। पुष्पों से भोजन प्राप्त करने वाले कीटों में प्रायः विशेष प्रकार की रचनाएँ पाई जाती हैं। ये रचनाएँ बहुत

गहराई पर के मकरंदकोषों से मकरंद चूसने में सहायता करती हैं। कर्मकारी मधुमक्खियों में पराग को एकत्र करने के लिये पिछली टाँगों पर पराग डलियाँ होती हैं। पुष्पों में भी कीटों को आकर्षित करने के लिए रंग और सुगंध होती है। कुछ पुष्पों की रचना ऐसी होती है कि कीट बिना पराग एकत्र किए मकरंद प्राप्त कर ही नहीं सकता और जब वह दूसरे पुष्प पर जाता है तो पुष्प की रचना के कारण इसके वर्तिकाग्र पर पराग गिराए बिना मकरंदकोष तक पहुँच ही नहीं सकता। यूका पुष्प और यूका शलभ इसके बहुत सुंदर उदाहरण हैं।

सफाई करने वाले कीट

जो कीट वनस्पति नहीं खाते, वे उच्छिष्ट वस्तुओं, अन्य कीटों या अन्य जीवों को अपना भोजन बनाते हैं। सफाई करने वाले कीट कूड़ा कर्कट आदि इसी प्रकार की अन्य परित्यक्त वस्तुओं पर अपना जीवननिर्वाह करते हैं। सड़ी गली वनस्पतियों से बहुत से कंचुकपक्ष, मक्खियाँ तथा अन्य कीट आश्रय तथा भोजन पाते हैं। गोबर, जीवों के सड़ते हुए शव तथा इनके अन्य अवशेष किसी न किसी कीट का भोजन अवश्य बन जाते हैं। कीटों की ये कृतियाँ मनुष्य के लिए बहुत लाभदायक हैं। अपाहारी (प्रिडेटर, Predator) वह जीव है जो अन्य जीवों पर निर्वाह करता है, मांसाहारी होता है, अपने शिकार की खोज में रहता है और पाने पर उसको खा जाता है। इस प्रकार का व्यवहार विभिन्न वर्गों के कीटों में पाया जाता है। इनका शिकार कोई अन्य कीट, या अपृष्ठवंशी जीव होता है। ऐसे जीवन के कारण इन कीटों की टाँगों, मुख भागों और संवेदक इंद्रियों में बहुत से परिवर्तन हो जाते हैं। ऐसे कुछ कीटों के व्यवहार में भी स्पष्ट पविर्तन दृष्टिगोचर होता है। कुछ कीट अपनी टाँगों का अपने शिकार को पकड़ने तथा भक्षण करते समय थामने के लिए उपयोग करते हैं। व्याध पतंग (Dragon सिल) अपनी तीनों जोड़ी टाँगे और जलमत्कुण तथा मैंटिड (Mantid) केवल बगली टाँगों का ही इस कार्य में उपयोग करते हैं। इस कारण इनकी टाँगों में परिवर्तन पाया जाता है। डिस्टिकस (Disticus) के जंभ अपने शिकार को पकड़ने के लिए नुकीले तथा आगे की ओर निकले रहते हैं। व्याधपतंग के निंफ का ओष्ठ (Labium) अन्य कीटों के पकड़ने के लिए विशेष आकृति का बन जाता है। इन कीटों के संयुक्त नेत्र विशेष रूप से विकसित होते हैं। कुछ अपाहारी कीटों की टाँगे दौड़ने के लिए उपयुक्त होती हैं और कुछ तीव्रता से उड़ सकते हैं। अनेक अपाहारी अपने अंडे अपने शिकार के संपर्क में रखते हैं, जैसे लेडी–बर्ड बीटल (Lady–bird beetle) अपने अंडे द्रुमयूका के पास रखता है।

अनेक अपाहारी अपने शिकार की प्रतीक्षा में छिपे बैठे रहते हैं और जैसे ही उनका शिकार उनकी पहुँच में आता है, उस पर एकबारगी झपटा मारते हैं, जैसे मैंटिस में अपने को गुप्त रखने के लिए पत्ती जैसा रंग होता है। जलपक्ष के कुछ डिंभ अपने शिकार, चींटियों, को पकड़ने के लिए गड्ढा बनाते हैं।

परजीवी

परजीवी वे कीट हैं जो अन्य जीवों पर निर्वाह तो करते हैं, किंतु उनका वध किए बिना ही उनसे भोजन प्राप्त करते हैं और प्रायः एक ही पोषक पर निर्भर रहते हैं। ये अपने अंडे प्रायः अपने पोषक के शरीर पर देते हैं। परजीवी कीट दो प्रकार के होते हैं–एक जो कशेरु क दंडियों पर और दूसरे जो अन्य कीटों तथा उनके संबंधियों पर जीवित रहते हैं। प्रथम वर्ग के कीट ऐनोप्ल्यूरा (Anopleura), मैलोफैगा (Mallophaga) और साइफोनैप्टरा (Siphonaptera) गणों तथा हिप्पोबोसाइडी (Hippoboscidae) वंश के अंतर्गत आते हैं। ये परजीवी अपने पोषक की तुलना में बहुत छोटे होते हैं। पोषक में इनको सहने करने की शक्ति विकसित हो जाती है और इस कारण इनका प्रभाव प्राणनाशक नहीं होता। इनमें से अधिकतर बाह्य परजीवी हैं और पोषक के शरीर पर रहते हैं। साइफोनैप्टरा के अतिरिक्त अन्य का शरीर ऊपर नीचे से चौरस होता है और ये पोषक के शरीर से चिपके रहते हैं। इनके पैरों पर पोषक को पकड़े रहने के लिए हुक होते हैं तथा नेत्र क्षीण या लुप्त हो जाते हैं। पक्षों का भी प्रायः अभाव रहता है और यदि वे होते भी है तो बहुत छोटे होते हैं। कीटों के परजीवी इने गिने ही हैं। स्ट्रेप्सिप्टस गण के अतिरिक्त मधुमक्खी की जूँ, ब्रेउला (Braula) ही केवल इनका अन्य उदाहरण है।

अर्ध परजीवी (पैरासिटॉइड Parasitoide) का व्यवहार अपाहारी और परजीवी के मध्य का सा होता है। आरंभ में यह परजीवी की तरह रहता है, अर्थात पोषक की अति आवश्यक इंद्रियों को नष्ट नहीं करता, किंतु बाद में इसका व्यवहार अपाहारी जैसा हो जाता है और यह अपने पोषक का भक्षण कर जाता है। यह प्रायः अपने अंडे पोषक के शरीर के ऊपर या भीतर रखता है। इसके डिंभ पोषक से स्थायी रूप से चिपके रहते है और अपना भोजन पोषक के शरीर के भीतर या बाहर से प्राप्त करते हैं। अधिकतर ये कीट द्विपक्ष वंश की टैकिनाइडी (Tachyniade) और कलापक्ष के पैरासाइटिका (Parasitica) वर्ग में ही पाए जाते हैं। इनके प्रौढ़ क्रियाशील होते हैं और पराश्रयी नहीं होते। अर्धपरजीवी का आकार पोषक के आकार की तुलना में बड़ा होता है और

यह अपने व्यवहार से पोषक को प्रायः सदा ही नष्ट कर देता है। पोषक अधिकतर अन्य कीट ही होते हैं, जिनके अंडों या अन्य अप्रौढ़ अवस्थाओं पर अर्धपरजीवी का आक्रमण होता है। प्रौढ़ कीट पर कभी भी आक्रमण नहीं होता। टैकिनाइडी वंश के कीट पोषक के भीतर रहते हैं, किंतु अंडे पोषक के ऊपर, या पोषक से दूर, रखते हैं। बहुत से पराश्रयी कलापक्ष बाह्य पराश्रितों की भाँति रहते हैं, किंतु अधिकतर आंतरिक पराश्रयी हैं और अपने अंडे पोषक की त्वचा के भीतर प्रविष्ट कर देते हैं। अर्धपरजीवियों में सबसे अधिक महत्व की बात इनके श्वसनतंत्र में पाई जती है, विशेष करके आंतरिक अर्धपरजीवियों में, जो अपने पोषक के रक्त में मिली हुई आक्सिजन का श्वसन करते हैं। किंतु कुछ आंतरिक अर्धपरजीवी ऐसे भी हैं । जो सीधे वायुमंडल से आक्सीजन प्राप्त करते हैं।

इन्क्विलाइन *(Inquiline)*

कुछ कीट दूसरे कीटों का तो भक्षण नहीं करते, किंतु उनकी एकत्र की हुई सामग्री को खा जाते हैं। ऐसे कीट इन्क्विलाइन कहलाते हैं। ये कीट सामाजिक कीटों के घोसलों में बहुतायत से पाए जाते हैं। इनका बहुत प्रसिद्ध उदाहरण मोम का शलभ हैं, जो मधुमक्खी के छत्तों में रहता है और छत्तें को नष्ट कर देता है। वोलुसिला (Volucella) नामक चक्कर खानेवाली मक्खी भिन–भिनानेवाली मक्खियों और बर्रों के छत्तों में रहकर उच्छिष्ट कार्बनिक मक्खी पदार्थों को खाती हैं। ऐटेल्युरा (Atelura) नामक कीट चीटियों के विवरों में रहता है और जब एक चींटी दूसरी चींटी को अपना उलटी किया हुआ भोजन देने लगती है तो उसको पी लेता है। कुछ ऐसे भी कीट हैं जो अपने पोषकों को, उनके साथ रहने के बदले में, लाभ पहँचाते हैं। कुछ कंचुकपक्ष चीटियों के विवरों में आश्रय और भोजन पाते हैं और इसके बदले में अपने शरीर से स्राव निकाल कर देते हैं, जिसको पाने के लिए ये चीटियाँ बहुत लालायित रहती हैं। इस संबंध की अंतिम श्रेणी यह हैं की चीटियाँ स्राव के बदले में अतिथि कंचुकपक्ष को वस्तुतरू भोजन देती हैं। परस्पर लाभ पहुँचाने का यह एक सुंदर उदाहरण है (देखें सामाजिक कीट)।

कीटमंडलियाँ और सामाजिक कीट

अधिकतर कीटों की प्रकृति अकेले ही रहने की होती है, किंतु कुछ जातियों के कीट नियत परिस्थिति में अपनी मंडली बना लेते हैं। शीतकाल

में जब ताप बहुत नीचे गिर जाता है, घरेलू मक्खियाँ प्रायः एक साथ एकत्र हो जाती हैं। कुछ इल्लियाँ यूथचारी हैं और एक साथ जन्मी हुई सब इल्लियाँ एक ही जाले में एक साथ–साथ रहती हैं, किंतु ऐसी मंडलियाँ भोजन समाप्त होते ही तितर बितर हो जाती हैं और प्रत्येक इल्ली स्वतंत्र रहने लगती है। बहुत से कीट अनेक परिस्थितियों से विवश हो ग्रीष्मकाल बिताने, प्यूपा बनने और शीत निष्क्रियता के लिए एकत्र हो जाते हैं। इनमें से एक परिस्थिति है सुरक्षित स्थान की खोज। कीटों की मंडली में रहने की प्रकृति के कारण परजीवी और अपाहारी शत्रुओं से तथा प्रतिकूल परिस्थितियों से इनकी संभवतरू रक्षा हो जाती है। भ्रमणकारी कंचुकपक्षों की झुंडों में रहने और क्रियाशील होने के कारण कुछ रक्षा हो जाती है। टिड्डियाँ और तितिलियाँ प्र्जाजन के समय यूथचारा बन जाती हैं। हेलिक्टस (Helictus) नामक एकाकी मक्षिका भूमि में बनी हुई सुरंग के मुख के चारों और नन्हें–नन्हें कमरे बनाती हैं। इन कमरों में भोजन और एक एक अंडा रख देती है, तत्पश्चात इनकी रक्षा करती रहती है। यह उस समय तक जीवित भी रह जाती हैं जब तक अंडों से मक्षिकाएँ निकल न आएँ। वह कीट, जो अपनी संतानों की कम से कम उनके जीवन के आरंभ में देखभाल करता है, सामाजिक जीवन की प्रथम श्रेणी का कहा जा सकता है। भिन्न–भिन्न वर्गों के सामजिक कीटों में भिन्न–भिन्न विलक्षणताएँ दृष्टिगोचर होती हैं, किंतु इनकी प्रत्येक मंडली का सबसे महत्वपूर्ण लक्षण यह हैं कि एक ही कुटुब होता है, जिसमें एक नर, एक मादा और उनकी संतान, या एक गांभत मादा और उसकी संतान, अर्थात कम से कम दो पीढ़ियां एक ही स्थान पर ही मिल जुलकर रहती हैं। वास्तविक सामाजिक जीवन बरा, मधुमक्खियों, चीटियों और दीमकों में पाया जाता है। (देखें सामाजिक कीट)।

फारिसी (*Phoresy*)

एक अन्य प्रकार का सहजीवन है जिसमें एक कीट दूसरे कीट के शरीर पर चिपका रहता है। जिन कीटों के शरीर पर चिपकते हैं वे प्रायः बड़े होते हैं, किंतु छोटा कीट उनको खाता नहीं हैं, अर्थात कोई हानि नहीं पहुँचाता। मिलोइडी (Melodiae) वंश के ट्राइऐंगुलिन (Triangulin) डिंभ को सामाजिक कलापक्ष अपने शरीर पर अपने घोंसलें में ले जाते हैं। वहाँ ये डिंभ उनकी संतान को खा जाते है। सिलिओनाइडी (Scelionidae) वंश के कुछ परजीवी, मादा टिड्डों की पीठ पर, बैठ जाते हैं। जब तक टिड्डे अंडे न रख दें उनकी

पीठ पर चढ़े रहते हैं। अंत में अपने अंडे टिड्डों के अंडों में प्रविष्ट कर देते हैं। सबसे सुंदर उदाहरण बॉटफ्लाइ (Botfly) का है। मादा मक्षिका अपने अंडों को मच्छर की टाँगों और शरीर पर चिपका देती है और जब मच्छर रक्त चूसने मनुष्य के पास पहुँचता है तब इन अंडों में से डिंभ निकलकर अपने पोषक मनुष्य पर आक्रमण कर देते हैं।

जलवासी कीट

कीटों की एक बड़ी संख्या जल में रहती है। ये अधिकतर मीठे पानी में रहते हैं, कुछ खारे पानी और समुद्र में भी पाए जाते हैं। इन कीटों के बहुत से लक्षण उपयोगी होते हैं। बहुत से कलापक्षों की चिकनी और चमकती हुई देह तैरते समय पानी की रुकावट कम कर देती है। बहुत से कीटों में जलप्रवाह में बहने से बचने के लिए विशेष प्रकार के साधन पाए जाते हैं, जैसे काली मक्खियों के डिंभ रेशम के धागों को अटकाए रखते हैं। मच्छरों के डिंभों में श्वासरध्रं के चारों ओर पाई जानेवाली ग्रंथियों से तेल मिला हुआ स्राव निकलता है। इसके कारण इन स्थानों के बाह्यत्वक में जलसंत्रासिक गुण आ जाता है और वहाँ जल ठहर नहीं पाता। अतरू श्वसन बेरोक टोक होता रहता है। कुछ कीटों, जैसे पौड्यूरा ऐक्वाटिका (Podura aquatica) में ऐसे बाल होते हैं जिनके कारण बाह्यत्वक जलसंत्रासिक हो जाता है। इस गुण के कारण श्वासप्रणाल में जल नहीं प्रवेश कर पाता। इनमें भोजन प्राप्त करने के लिए भी विशेष साधन होते हैं, यथा–ओडीनेटा के निंफों में लेबियम का घूँघट एक जाल का कार्य करता है। मच्छरों के डिंभों के मुखों में कंपनकारी बुरुश होते हैं जो जल में लहरें उत्पन्न करते हैं और इस प्रकार भोजन के सूक्ष्मकण इनकी ग्रसिका में पहुँच जाते हैं। डाइटिस्कस (Dytiscus) की पिछली टाँगे पतवार के आकर की हो जाती हैं। नोटोनैक्टा (Notonecta) और डाइटिस्कस (Dytiscus) तैरते समय अपनी दोनों पतवारें एक साथ ही चलाते हैं, किंतु हाइड्रोफिलस (Hydrophilus) अपनी पिछली टाँगे (पतवारें) पारी पारी से चलाता है। जिराइनस (Gyrinus) नामक कंचुकपक्ष मध्य और पश्च टाँगों से, जिनमें बहुत परिवर्तन आ जाता है, तीव्रता से चक्कर लगाते हुए घूमता और तैरता है। कुछ मक्खियों और मच्छरों के डिंभ उदर की पेशियों के प्रबल उद्योग द्वारा तैरते हैं। बहुत छोटे छोटे पोलिनीमा (Polynema) नामक कलापक्ष, जो जलवासी कीटों के अंडों में पराश्रयी होते हैं, अपने पक्षों की सहायता से जल में तैरते हैं। जलवासी कीटों के श्वसनतंत्र में बहुत से

परिवर्तन आ जाते हैं। ये ट्रेकिया, जलश्वसनिका या रक्त जलश्वासनिका द्वारा श्वसन करते हैं। कुछ कीट वायु को अपने पास जमा कर लेते हैं और जब वे जल में डूबे होते हैं तब उसका उपयोग करते हैं। द्विपक्षों के कोर्थ्राा (Corethro) नामक कीट के पारदर्शी डिंभ का ट्रेकिया तंत्र सेम के आकार की दो जोड़ी थैली सी बन जाती है। ये थैलियां उत्प्लावन इंद्रिय का कार्य करती हैं। यह डिंभ इन थैलियों का परिमाण किसी अज्ञात विधि से पविर्तित क सकता है और इस प्रकार जल की जिस गहराई में चाहे उसी के अनुसार आपेक्षिक गुरु त्व उत्पन्न कर पाता है।

भौगोलिक वितरण

कीट सारे संसार में, हिमाच्छादित ध्रुवीय भागों से लेकर भूमध्य रेखा के पासवाले, तपते हुए भागों तक में पाए जाते हैं। इनका वितरण अन्य सब स्थलीय जीवों का तुलना में सबसे अधिक विस्तृत है। ये लगभग उन सभी स्थानों में पाए जाते हैं जहाँ वनस्पतियाँ उग सकती हैं, अर्थात जहाँ भी इनको भोजन प्राप्त हो सकता है। कीटों और अन्य जीवों का भोजन वनस्पतियाँ हैं। पक्ष एक महान महत्ववाली रचना है। पक्षों के कारण कीटों में अतुलित वितरणसामर्थ्य आ जाता है, जो अन्य स्थलीय जीवों में नहीं पाया जाता। वितरण की शक्ति कीटों की प्रत्येक जाति को तीव्र स्पर्धा से और कठोर निर्वाचन के प्रभाव से, जिसका परिणाम परिमित क्षेत्र में अत्यधिक भीड़ होना होता है, बचने के लिए स्वतंत्रता प्रदान करती है, किंतु बहुत से कीट ऐसे भी हैं जिनका वितरण सीमित है। सारे संसार में मनुष्यों के घरों में पाए जानेवाले कीटों में तेलचट्टा (Cockroach), चावल का सूँडवाला कीट, दालों के कीट आदि प्रसिद्ध है। इनके अतिरिक्त आजकल चने का शलभ (हीलिओथिस,भ्मसपवजीपे), आलू क शलभ (फ्योरिमीया ओपरकुलेला, Phthorimaea oparculella), शकरकंद का सूँडवाला कीट (साइलस, Cylas) और बंदगोभी का शलभ (प्लुटेला, Plutella), भी सारे संसार में पाए जाते हैं। इसी प्रकार ऐसे भी बहुत से कीट हैं जो किसी विशेष प्रदेश या देश में ही पाए जाते हैं। ऐसा वितरण बहुत सी परिस्थितियों पर निर्भर रहता है। भोजनप्राप्ति और प्राकृतिक दशाएं निस्संदेह बहुत अधिक प्रभावशाली परिस्थितियाँ हैं। जलवासी कीट वहाँ नहीं रह सकते जहाँ जल नहीं है। वृक्षों की छाल में रहने वाले कीट उन स्थानों में नहीं पाए जा सकते जहाँ वृक्ष ही न हो। प्राकृतिक अवरोध, जैसे ऊँचे ऊँचे पहाड़, समुद्र तथा मरुस्थल, कीटों का वितरण एक

देश से दूसरे देश में नहीं होने देते। कुछ कीट, जैसे साफिलाइज, बंदगोभी की तितली आदि समशीतोष्ण कटिबंध में ही पाए जाते हैं। फलों की मक्खियाँ, धान के कीट आदि केवल अयनवृत्त में ही मिलते हैं। कुछ कीटों में जैसे टिड्डियों और कुछ तितलियों में, कभी–कभी प्रवजन की प्रवृत्ति होती है और ये सुदूर देशों तक पहुँच जाते हैं। किंतु बहुत से कीटों के आधुनिक वितरण की व्याख्या पृथ्वी की आधुनिक दशा और जलवायु के आधार पर नहीं की जा सकती और इसलिए प्रायः भौवृत्तीय परिवर्तनों का सहारा लेना पड़ता है। स्प्रिंग टेल नामक कीट न्यूजीलैंड और चिली में पाया जाता है। इससे यह अनुमान लगाया जा सकता है कि किसी काल में इन दोनों देशों के बीच ऐटाक्टिक महाद्वीप फैला हुआ था, क्योंकि यह कीट इतना कोमल और पक्षहीन है कि इसका अन्य किसी प्रकार से वितरण हो ही नहीं सकता। स्प्रिंग टेल का अन्य कीटों की तुलना में सबसे अधिक विस्तृत वितरण है और इस कारण इसने अपने को इन विभिन्न परिस्थितियों के अनुकूल बना लिया है। चीटियों का भी लगभग इसी प्रकार वितरण है और इन्होंने भी अपने को विभिन्न परिस्थितियों के अनुकूल कर लिया है।

कीटों के पूर्वज

द बीअर (de Beer), ने सन 1954–55 में यह बतलाया कि मिरियापोडा के जो डिंभ डिंभावस्था में जनन कर सकें उनको ही कीटों का पूर्वज मानना चाहिए। यह सिद्ध करने के लिए कीटों के प्रौढ़ और कुछ मिरियापोडा के डिंभों की, उदाहरणार्थ, आइयूलस (Iulus) की, जो एक मिलीपीड है, तुलना करने में महत्पूर्ण हैं। आइयूलस का डिंभ जब अंडे से निकलता है, इसका सिर उतने ही खंडों का बना मालूम होता है जितने खंडों का कीटों का सिर। शरीर के शेष भाग में लगभग 12 खड होते हैं, जिनमें से प्रथम तीन खंडों में प्रत्येक पर एक जोड़ी टाँगे होती हैं। चौथा तथा इनके पीछेवाले खंड भी बिना टाँगों के नहीं होते। किंतु इनके परिवर्धन में रुकावट आ जाती है और ये बहुत ही छोटे रह जाते हैं। इस प्रकार यह छह टाँगों वाला आइयूलस का डिंभ अंत में लंबा प्रौढ़ बन जाता है, जिसके शरीर में बहुत से खंड और बहुत सी टाँगे होती है। यदि इस डिंभ की प्रथम तीन जोड़ी के पश्चातवाली टाँगों के परिवर्धन में अधिक रुकावट हो और डिंभ के शरीर के लगभग 12 खंड प्रौढ़ावस्था में दृढ़ रहें तो यह जीव (डिंभ) कीट के आकार का होगा, जिसमें प्रथम तीन जोड़ी टाँगों के पीछेवाली टाँगे या तो इतनी क्षीण होंगी कि केवल उनके अवशेष ही

होंगे या वे सर्वथा लुप्त होंगी। यह बात बहुत ही रोचक है कि वास्तव में ऐसे कीट हैं जिनमें उदर पर भी टाँगों के अवशेष वर्तमान होते हैं, जैसे कैंपोडिया (Campodea), जेपिक्स (Japyx) और मैचिलिस (Machilis)। इन कीटों के पक्ष नहीं होते और इनमें वे रचनाएं वर्तमान रहती हैं जो अन्य कीटों में लुप्त हो गई हैं, जैसे जननग्रंथियों का खंडीभवन। इसलिए कीटों के विकास में इन कीटों को मिरियापोडा के डिंभावस्था में जनने वाले डिंभों और अन्य कीटों की मध्यवाली दशा का समझना चाहिए। अन्य अनेक तर्कों से भी यह अनुमोदित होता है कि मिरियापोडा की तरह की आकृतियों से ही कीटों की उत्पत्ति हुई है। अत्यधिक संभावना यह है कि उन सब लंबे शरीर और टाँगोवाले जीवों में मिरियापोडा ही कीटों के पूर्वज हैं, क्योंकि इन में कई रचनाएँ एक–सी होती हैं उदाहरणार्थ, मैलपीगियन नलिकाएँ और ट्रेकियल नलिकाएँ। किंतु इसका भी ध्यान रखना चाहिए कि कीटों की उत्पत्ति प्रौढ़ मिरियापोडा से नहीं हो सकती थी, क्योंकि इनमें बहुत सी विशेषताएँ और विलक्षणताएँ हैं।

कीटगणों में परस्पर संबंध

एप्टरिगोटा (Apterygota) उपवर्ग अधिकतर विविध प्रकार के कीटों का एक समूह है और उस उपवर्ग का केवल थाइसान्यूरा (Thysanura) गण ही टेरिगोट (Pterygote) कीटों की विकासवाली मुख्य श्रेणी के संभवतः समीप है। ऐसा तर्क द्वारा सिद्ध किया गया है कि ऐप्टरिगोटा के शेष तीन गणों को कीट मानना ही नहीं चाहिए। किंतु ऐसा कोई संतोषजनक कारण प्रतीत नहीं होता है, जिससे इन तीनों गणों को इस उपवर्ग से पृथक कर दिया जाए, यद्यपि इसमें कोई संदेह नहीं कि ये विलक्षण रचनाएँ प्रदर्शित करते हैं, उदाहरणार्थ कोलेंबोला (Collembola) गण के कीटों में केवल नौ खंड ही होते हैं। प्रोट्यूरा (Protura) गण के कीटों में ऐनामॉर्फोसिस (Anamorphosis) होता है, डिप्ल्यूरा (Diplura), गण के कीटों में अलाक्षणिक ट्रेकियल तंत्र पाया जाता है, डिप्ल्यूरा और कोलेंबाला की शृंगिकाओं के कशाभ (Flagellum) में पेशियाँ होती हैं। उपवर्ग टेरिगोटा दो भागों में विभाजित किया गया है–एक्सोप्टरिगोटा (Exopterygota) और एंडोप्टरिगोटा (Endopterygota)। एक्सोप्टरिगोटा गणों के एफिमेराप्टरा (Ephemaroptera) और ओडोनेटा (Odonata) में परस्पर निकट संबंध है, क्योंकि ये दोनों ही पेलीआप्टेरॉन (Palaeopteron), गण हैं। यदि आधुनिक कीटों के शरीर के सिद्धांत से विचार किया जाय तो ब्लैटेरिया (Blattaria) , मैंटोडिया (Mantodea), आइसॉप्टरा (Isoptera) , जोरेप्टरा

(Zoraptere) , गाइलॉब्लैटोडिया (Gylloblattodea), ऋजुपज (Orthoptera), फेजमाइडा (Phasmida), प्लिकॉप्टरा (Plecoptera), डर्मेप्टरा (Dermaptera) और एंबिऑप्टरा (Embioptera), ऋजुपाक्षिका आर्थोप्टराएड (Orthopteroid) समुदाय के अंतर्गत आते हैं। निम्नलिखित लक्षणों के कारण ये सब गुण एक समुदाय बनाते हैं–अपरिवर्तित मुखभाग, पश्चपक्ष में विशाल ऐनेल लोब (Anal lobe) उदर के पश्च सिरे पर एक जोड़ी सरसाई (Cerci), अगणित मैलीपगियन नलिकाएँऔर प्रतिपृष्ठ तंत्रिका तंतु में कई एक पृथक–पृथक गुच्छिकाएं। इन गणों में से ब्लैटेरिया और मैंटोडिया में बहुत अधिक निकट संबंध होने के कारण इन दोनों को साथ–साथ डिक्टियॉप्टरा (Dictyopotera) के अंतर्गत रखते हैं । एक्सोप्टरिगोटा के शेष गण, जिनके नाम हैं सोकोप्टरा (Psocoptera), मैलोफैगा (Mallophaga), साइफनकुलेटा (Siphonculata), मत्कुणगण (हेमिप्टरा, Hemiptera) और झल्लरीपक्ष (Thysanoptera), मत्कुणगणिक (Hemipteroid) समुदाय के अंतर्गत आते हैं। मत्कुणगणिक समुदाय के लक्षण इस प्रकार हैरू विशेष प्रकार के मैंडिबुलेट या चूसनेवाले मुखभाग होते हैं, पश्चपक्ष में ऐनेल लोब नहीं पाया जाता, सरसाई का अभाव होता है। मैलपीगियन नलिकाओं की संख्या बहुत थोड़ी होती है और प्रतिपृष्ठ तंत्रिकातंतु की गुच्छिकाएँ लगभग एकत्रीभूत हो जाती है। ऋजुपाक्षिक और मत्कुणगणिक समुदायों में स्पष्ट भेद नहीं हैं, क्योंकि जोरेप्टरा में पक्षों की शिराएँ कुछ क्षीण हो जाती है, मैलीपीगियन नलिकाओं की संख्या भी कम होती है और तंत्रिकातंतु की गुच्छिकाएँ भी कुछ कुछ एकत्रीभूत हो जाती है। सोकोप्टरा और मैलोफैगा में स्पष्ट संबंध प्रतीत होता है, क्योंकि दोनों में विलक्षण प्रकार का हाइपोफैरिक्स (Hypopharynx) होता है। संभवतः साइफनकुलेटा मैलोफैगा से निकट संबंध रखते हैं। इनसे वे केवल अनेक बाह्य और आंतरिक रचनाओं तथा प्रकृति में ही सादृश्य नहीं रखते, अपितु श्वासरध्रं की रचना और अंडे से बच्चे निकलने की विधि में भी सादृश्य है। अब प्रश्न यह उठता है कि जुँओं के दोनों गणों को एक ही गण के अंतर्गत क्यों नहीं माना जाता। इसका कारण यह है कि दोनों गणों के मुखभागों में इतना अधिक अंतर होता है। कि इनका पृथक पृथक गणों में रखना ही प्रायः उचित समझा जाता है।

इंडोप्टेरिगोट कीटों के विषय में ध्यान दे तो कलापक्ष (Hymenoptera) , स्ट्रेप्सिप्टरा (Strepsiptera), और कंचुकपक्ष (Coleoptera) को अन्य गणों के साथ रखने में अत्यधिक कठिनता उपस्थित होती है, अतः इनके अतिरिक्त शेष

सब गण पैनोरपिड (Panorpid) समुदाय ... समुदाय जालपक्ष न्यूरोप्टेरा (Neuroptera) के ... गए हैं। केंद्रीभूत है और कुछ ... पृथक किंतु संबंधी ... (Mecoptera) ... संभव है कि मिकाप्टरा के निम्नस्थ सदस्यों से एक ... है। ऐसा ... दूसरी ओर शल्कि पक्ष (Lepidoptera) और लोमपक्ष (Diptera) और ... उत्पत्ति हुई हो। साइफोनैप्टरा (Siphonaptera) के प्रौढ़ ... optera) के ... होती हैं, किंतु इसके डिंभ द्विपक्ष के उपगण निमेटोसेरा (Nin... बहुत भिन्न डिंभों से भिन्न नहीं होते, और यदि साइफोनैप्टरा की उत्पत्ति ... के कुछ ... हुई हो तो कम से कम पैनोरपिड समुदाय से तो हुई ही होगी। ... भों से न ... कंचुकपक्ष और स्ट्रेप्सिप्टरा के विषय में भी कुछ कठिनता प्रतीत हो... लापक्ष, ... है। कलापक्ष के उपगण सिंफायटा (Symphyta) के डिंभ और पैनोरपिड कीटों के डिंभों में सादश्य है, साथ ही साथ सिंफायटा के पक्षों की शिरा की उत्पत्ति बिना किसी कठिनता के, मेगालोप्टरन पैटर्न (megalopteran pattern) से प्रतीत होती है। इन दो कारणों से ऐसा भी कहा जाता है कि कलापक्ष के पूर्वज तथा जालपक्ष और अन्य पैनोरपिड गणों के पूर्वज एक ही थे। कंचुक पक्ष के विषय में ऐसा विचार है कि इनकी उत्पत्ति अन्य इंडोप्टेरिगोट से भिन्न रूप में हुई। किंतु कुछ लेखकों का ऐसा अनुमान है कि कंचुकपक्ष की उत्पत्ति जालपक्षीय आकृतिवाले पूर्वजों से हुई। स्ट्रेप्सिप्टरा प्रायः कंचुकपक्ष से संबंधित समझे जाते हैं, किंतु कुछ लेखक इनका संबंध कलापक्ष के निर्धारित करते हैं।

तिलचट्टा

तिलचट्टा कीट वर्ग का एक सर्वाहारी, रात्रिचर प्राणी है जो अंधेरे में, गर्म स्थानों में, जैसे रसोई घर, गोदाम, अनाज और कागज के भंडारों में पाया जाता है। पंख से ढका हल्का लाल एवं भूरे रंग का इसका शरीर तीन भागों सिर, वक्ष और उदर में विभाजित रहता है। सिर में एक जोड़ी संयुक्त नेत्र पाया जाता है एवं एक जोड़ी संवेदी शृंगिकाएँ (एन्टिना) निकली रहती है जो भोजन ढूँढ़ने में सहायक होती हैं। वक्ष से दो जोड़ा पंख और तीन जोड़ी संधियुक्त टाँगें लगी रहती हैं जो इसके प्रचलन अंगों का कार्य करते हैं। शरीर में श्वसन रंध्र पाये जाते हैं। उदर दस खंडों में विभक्त रहता है।

तिलचट्टे का शरीर 2.5 सेण्टीमीटर से 4 सेण्टीमीटर लम्बा तथा 1.5 सेण्टीमीटर चौड़ा होता है। शरीर ऊपर से नीचे की ओर चपटा एवं खंडयुक्त होता है। नर तिलचट्टा मादा तिलचट्टा से साधारणतः छोटा होता है। तिलचट्टे

नलिकाओं से बनता है। नलिकाएँ बाहर की
...सन तंत्र ... हैं। तिलचट्टे में दस जोड़े श्वसरंध्र होते हैं, दो वक्ष
... श्वासरंध्रों
... और आठ

मच्छर

... हानिकारक कीट है। यह संसार के प्राय सभी भागो मे पाया जाता है। ... भिन्न प्रकार के रोगो के जीवाणुओं को वहन करता है। मच्छर गड्ढे ..., नहरों तथा स्थिर जल के जलाशयों के निकट अंधेरी और नम जगहों ... रहता है। मच्छर एकलिंगी जन्तु हैं यानी नर और मादा मच्छर का शरीर अलग–अलग होते हैं। सिर्फ मादा मच्छर ही मनुष्य या अन्य जन्तुओं के रक्त चूसती है, जबकि नर मच्छर पेड़–पौधों का रस चूसते हैं।

गोजर

गोजर एक स्थलवासी आर्थ्रोपोडा है जो जमीन में, बिलों में या पेड़ों की छाल के नीचे छिपे पाये जाते हैं। इसका शरीर लंबा एवं खंडयुक्त होता है तथा सिर पर दो स्पर्श सूत्र पाये जाते हैं। इसके प्रत्येक खंड में दो पैर जुड़े होती हैं जो जोड़ युक्त होते हैं। पहला जोड़ा पैर विषैले पंजों में रूपांतरित हो जाता है। दुनिया में गोजर की लगभग 8000 प्रजातियां हैं।

झींगा

झींगा एक जलीय जन्तु है। इसका शरीर सिफैलोथोरैक्स एवं उदर में विभक्त होता है। सिर में एक जोड़ा संयुक्त आँख एवं दो जोड़े एन्टिनी होते हैं। इसमें पाँच जोड़े पैर एवं पाँच जोड़े शाखांग होते हैं। श्वसन की क्रिया गिल्स द्वारा होती है। चिंराट (श्रिम) और झींगा दोनों समान हैं। दोनो की शारीरिक बनावट में अन्तर है। इनमें कोलेस्ट्रोल बढ़ाने की क्षमता होती है। यह एक हलका समुद्री भोजन है। यह मुख्य भोजन है समुद्र में रहने वाले जंतुओं का।

केकड़ा

केकड़ा आर्थ्रोपोडा संघ का एक जन्तु है। इसका शरीर गोलाकार तथा चपटा होता है। सिरोवक्ष (सिफेलोथोरेक्स) तथा उदर में बँटा रहता हैं। इसका उदर बहुत छोटा होता है। इसके सिरोवक्ष के अधर वाले भाग में पाँच जोड़े चलन पाद मिलते हैं। सिर पर एक जोड़ा सवृन्त संयुक्त नेत्र मिलता है। इसमें श्वसन गिल्स द्वारा होता है।

उभयचर

उभयचर वर्ग (Amphibia/एंफिबिया) पृष्ठवंशीय प्राणियों का एक बहुत महत्वपूर्ण वर्ग है जो वर्गीकरण के अनुसार मत्स्य और सरीसृप वर्गों के बीच की श्रेणी में आता है। इस वर्ग के कुछ जंतु सदा जल पर तथा कुछ जल और थल दोनों पर रहते हैं। ये अनियततापी जंतु हैं। इस वर्ग में 3000 जाति पाए जाते हैं। शरीर पर शल्क, बाल या पंख नहीं होते हैं, परंतु इनकी त्वचा अधिक ग्रंथिमय होने के कारण चिकनी होती है। मेंढक इस वर्ग का एक प्रमुख प्राणि है।

यह पृष्ठवंशियों का प्रथम वर्ग है, जिसने जल के बाहर रहने का प्रयास किया था। फलस्वरूप नई परिस्थितियों के अनुकूल इनकी रचना में प्रधानतया तीन प्रकार के अंतर हुए–

(1) इनका शारीरिक ढाँचा जल में तैरने के अतिरिक्त थल पर भी रहने के योग्य हुआ।

(2) क्लोम दरारों के स्थान पर फेफड़ों का उत्पादन हुआ तथा रक्तपरिवहन में भी संबंधित परिवर्तन हुए।

(3) ज्ञानेंद्रियों में यथायोग्य परिवर्तन हुए, जिससे ये प्राणी जल तथा थल दोनों परिस्थितियों का ज्ञान कर सकें।

विशेष लक्षण

उभयचर के कुछ विशेष लक्षण निम्नलिखित हैं रू

- इनकी त्वचा पर किसी प्रकार का बाह्घ्य कंकाल, जैसे शल्क, बाल इत्यादि नहीं होते और त्वचा आर्द्र होती है।
- मीनपक्षों के स्थान पर दो जोड़ी पाद होते हैं।
- इनमें दो नासाद्वार होते है, जो मुखगुहा द्वारा फेफड़ों से संबद्ध रहते हैं।

- हृदय में तीन वेश्म होते हैं।
- ये असमतापी जीव होते हैं।
- इनमें एक विशेष प्रकार का मध्यकर्ण पाया जाता है जिससे इन्हें वायुध्वनियों का ज्ञान होता है।

वर्गीकरण

उभयचर वर्ग में लगभग 2,500 प्रकार के विभिन्न प्राणी सम्मिलित हैं, जिनको चार गणों में विभाजित किया जाता है रू

- सपुच्छा (कॉडेटा);
- विपुच्छा (सेलियंशिया);
- अपादा (ऐपोडा) और
- आवृतशीर्ष (स्टीगोसिफेलिया)।

सपुच्छा

इसके अंतर्गत न्यूट तथा सैलामैंडर आते हैं। इनका शरीर लंबा और सिर तथा धड़ के अतिरिक्त पूँछ भी होती है। बहुधा अग्र तथा पश्चपाद लगभग बराबर होते हैं। अधिकतर जलक्लोम तथा क्लोम दरारें आजीवन रहती हैं, परंतु कुछ में ये वयस्क अवस्था में लुप्त हो जाती हैं और श्वसन केवल फेफड़ों द्वारा ही होता है। ये प्राचीन काल में खटी युग (क्रिटेशस) तक पाए गए हैं। यद्यपि इनका साधारण आकार इनके पूर्वजों से मिलता जुलता है, फिर भी इनकी उत्पत्ति पर अधिक प्रकाश अभी तक संभव नहीं हो सका है।

नेकट्यूरस– यह एक प्रकार का सपुच्छा है जिसको पानी का कुत्ता भी कहते हैं। यह लगभग 12 इंच तक लंबा होता है और अमरीका की नदियों में पाया जाता है। इसमें फेफड़े तथा तीन चौड़ी जलश्वसनिकाएँ पाई जाती हैं तथा दोनों ही स्थायी रूप से आजीवन रहती हैं। छोटी छोटी मछलियाँ, शंख तथा पानी के अन्य कीड़े–मकोड़े इसका मुख्य आहार हैं। इसकी एक विशेषता यह भी है कि मादा पत्थरों के नीचे अंडे देती है और उनकी देखभाल स्वयं करती है। प्रोटियस भी नेकटयूरस से मिलता–जुलता जीव है जो यूरोप में पानी की गहरी खाइयों इत्यादि में रहता है। इसी कारण इसकी त्वचा में रंगों का अभाव रहता है। इसकी आँखें त्वचा से ढकी रहती हैं।

सैलामैंडरों में एंफियूमा को छोड़कर क्रिष्टोब्रैंकस, एंबीस्टोमा, ट्राइटन और प्लीथोडोन इत्यादि में प्रौढ़ अवस्था में किसी में जलश्वसनिकाएँ नहीं होती

हैं। क्रिष्टोब्रैकस लगभग 2 फुट लंबा साँडे के आकार का उत्तरी अमरीका की नदियों में पाया जानेवाला जीव है। अन्य सैलामैंडरी की अपेक्षा इसके शरीर की त्वचा में अनेक झुरियाँ–सी होती हैं। पूर्वी चीन तथा जापान में पाई जानेवाली इसकी जाति, मेगालोबैटेकस 4 फुट से भी लंबी होती है। एंबीस्टोमा उत्तरी अमरीका का एक सैलामैंडर है जो प्रौढ़ अवस्था में थल पर ही रहता है। इसमें यह विशेषता है कि इसके डिंभ, जिनको ऐक्स्लॉट्स कहते हैं और जिनमें बाह्म जल श्वसनिकाएँ रहती हैं, वयस्क अवस्था के पहुँचने के पहले ही लैंगिक रूप से पूर्णतया परिपक्व हो जाते हैं। प्राणियों के इस प्रकार वयस्क अवस्था में लैंगिक रूप से परिपक्व होने की क्रिया को नियोटनी कहते हैं। ट्राइटयूरस, जिसको साधारणतया न्यूट भी कहते हैं, उत्तरी अमरीका, यूरोप और पूर्वी एशिया में मिलता है। यह अधिकतर स्थल पर ही रहता है और थलीय जीवन का इतना आदी हो जाता है कि किसी समय भी जल में नहीं जाता। इसी कारण इसमें जलश्वसनिकाएँ तथा क्लोम दारारें नहीं होतीं और इसका श्वसन केवल फेफड़ों द्वारा ही होता है। कुछ मादा न्यूट्स का रंग जननकाल में बहुत चटकीला हो जाता है और पीठ पर एक लंबी शिखररूपी त्वचा की पट्टी बढ़ जाती है। एंफियूमा कांगो के दलदलों तथा धान के खेतों में पाया जाता है। यह लगभग 3 फुट तक लंबा, ईल मछली से मिलता जुलता प्रतीत होता है। इसी कारण वहाँ के निवासी इसको कांगो की ईल भी कहते हैं। परंतु इनमें गलफड़ों के अतिरिक्त फेफड़े, जलश्वसनिका तथा पाद वर्तमान रहते हैं। केवल प्लीथोडोन, जो आकार में छिपकली के समान 6 इंच लंबा होता है, स्थलीय होने पर भी फेफड़ा रहित होता है। प्लीथोडोन में बहुधा मादा अपने अंडों की रक्षा करती है। सपुच्छा समूह के कुछ जीव पतले, लंबे तथा पश्चपाद अथवा पलकरहित होते हैं। इनकी साइरने कहते हैं। ये मध्य अमरीका के गंदे तालाबों तथा गड्ढों में पाए जाते हैं और तीन जोड़ी जलश्वसनिकाओं द्वारा साँस लेते हैं।

विपुच्छा

विपुच्छा पुच्छरहित उभयचर हैं। इनके अंतर्गत मेढ़कों तथा भेकों (बड़े मेढकों) की 1,700 से भी अधिक जातियाँ सम्मिलित हैं। इनमें ग्रीवा नहीं होती। अग्रपाद छोटे तथा पश्चपाद लंबे होते हैं, जो इनके तैरने तथा छलाँग मारने में सहायक होते हैं। इस समूह के कुछ प्राणी केवल जल या थल और कुछ दोनों में रहते हैं; कुछ, जैसे हाइला, पेड़ों पर भी पाए जाते हैं। वे जो सदा

थल पर रहते हैं; अंड़े देने के समय पानी में अवश्य चले जाते है। डिंभ अवस्था में पूँछ होती है जो वयस्क होने पर लुप्त हो जाती है। पुच्छ–कशेरुकों के जुड़ने से एक पुच्छदंड बनता है, जो धड़ के पीछे के भाग में स्थापित रहता है। विपुच्छों में संसेचन क्रिया केवल न्यूजीलैंड के साँड़ भेक (बुल–फ्रॉग) को छोड़कर शरीर के बाहर ही होती है और इनके भ्रूणविकास में एक महत्वपूर्ण रूपांतर होता है।

पुच्छरहित उभयचर दुनिया के लगभग प्रत्येक भाग में पाए जाते हैं, परंतु वह बहुत गर्मी तथा सर्दी होने पर मिट्टी के भीतर घुस जाते हैं और तब इनके शरीर की सारी क्रियाएँ शिथिल हो जाती हैं। जीवन के इस विभेदन को ग्रीष्म या शीतनिष्क्रियता कहते हैं। ये जीव बहुधा 2 से लेकर 5 इंच तक लंबे होते हैं, परंतु पश्चिमी अफ्रीका का राना गोलिअथ नामक भेक लगभग 12 इंच तथा दक्षिणी अमरीका का साँड़ भेक 8 इंच लंबा होता है। इसके विपरीत क्यूबा देश का पेड़ पर रहनेवाला भेक (फाइलोबेटिस) केवल 3/8 इंच का ही होता है। कुछ विपुच्छों के अंडों की रक्षा करने के अनेक साधन पाए जाते हैं। यूरोप का नर ऐलिटीज मेंढके अडों को अपने पश्चपाद में चिपकाकर इधर–उधर लिए फिरता है तथा अफ्रीका के पाइपा की मादा अंड़ों को अपनी पीठ की त्वचा पर छोटे–छोटे गड्ढों में रखकर उनकी रक्षा करती है।

अपादा

इनको सिसिलिअंस अथवा जिमनोफाइओना भी कहते हैं। ये अधिकतर उष्ण कटिबंध में पाए जाते हैं। ये पादरहित, लगभग एक फुट लंबे, कृमि रूपी उभयचर हैं, जो भूमि के अंदर बिलों में रहते हैं। कदाचित इन परिस्थितियों के कारण इनमें पादों के साथ पादमेखला का भी लोप हो जाता है और नेत्र अत्यंत छोटे तथा कार्यहीन हो जाते हैं। अन्य उभयचरों से ये इस बात में भिन्न होते हैं कि इनमें त्वचा के नीचे छोटे–छोटे शल्क होते हैं। पूँछ बहुत छोटी तथा श्वसन केवल फेफड़ों द्वारा और संसेचन आंतरिक होता है। इकथियोफिस भारतवर्ष में तथा साइफोनॉप्स अमरीका में पाए जाते हैं और अंडे देने के उपरात उनके चारों ओर लिपटकर उनकी रक्षा करते हैं।

स्टीगोसिफेलिया

उभयचरों की कुछ जातियाँ, जो आज से लाखों वर्ष पूर्व पाई जाती थीं परंतु अब नहीं मिलतीं, इस समुदाय में सम्मिलित हैं। इनकी विशेषता यह है

कि इनके कपाल और हनु भी अस्थियों से ढके रहते थे। कुछ प्राणी, जैसे डिपलोकॉलस, छोटे सैलामैंडरों के समान तथा इओग्राइनस 15 फुट तक लंबे होते थे। ये सदा जल में ही रहा करते थे। स्टीगोसिफेलिया के अध्ययन से प्रतीत होता है कि उभयचर वर्ग की उत्पत्ति संभवतरू किसी प्राचीन मत्स्यरूपी प्राणी से हुई होगी, जो पहले जल में रहते रहे होंगे। परंतु खटी युग में जल के जगह–जगह पर सूख जाने के कारण इन प्राणियों को थल पर चलने तथा वायु में श्वास लेने का प्रयास करना पड़ा। फलस्वरूप इनमें अनेकानेक शारीरिक परिवर्तन हुए और एक नए वर्ग का आरंभ हुआ।

कछुआ

कछुआ एक जलीय जन्तु है। इसका पूरा शरीर कड़े कवच से ढका रहता है। इसके शरीर के कवच के ऊपरी भाग कारापेश तथा निचला भाग प्लास्ट्रन कहलाता है। इनमें चार पैर पाये जाते हैं प्रत्येक पैर में पाँच–पाँच नाखून युक्त तथा जाल–युक्त ऊँगलियाँ पायी जाती हैं। मादा कछुआ मिट्टी खोदकर उसमें अंडे देती है। अंडो की संख्या 1 से लेकर 30 तक हो सकती है। साधारणतः अंडे देने का कार्य रात में होता है। मादा अंडे देने के बाद गड्ढे एवं अंडे को मिट्टी तथा बालू इत्यादि से ढक देती है। विभिन्न प्रजातियों के अंडो से बच्चों के निकलने का समय भिन्न–भिन्न है। अंडो से बच्चे निकलने में 60 से 120 दिनों का समय लगता है।

मेंढक

मेंढक उभयचर वर्ग का जंतु है जो पानी तथा जमीन पर दोनों जगह रह सकता है। यह शीतरक्त का प्राणी है अर्थात् इसके शरीर का तापमान वातावरण के ताप के अनुसार घटता या बढ़ता रहता है। शीतकाल में यह ठंडक से बचने के लिए पोखर आदि की निचली सतह की मिट्टी लगभग दो फुट की गहराई तक खोदकर उसी में पड़ा रहता है। यहाँ तक कि कुछ खाता भी नहीं है। इस क्रिया को शीतनिद्रा या शीतसुषुप्तावस्था कहते हैं। इसी तरह की क्रिया गर्मी के दिनों में होती है। ग्रीष्मकाल की इस निष्क्रिय अवस्था को ग्रीष्मसुषुप्तावस्था कहते हैं।

मेंढक के चार पैर होते हैं। पिछले दो पैर अगले पैरों से बड़े होतें हैं। जिसके कारण यह लम्बी उछाल लेता है। अगले पैरों में चार–चार तथा पिछले पैरों में पाँच–पाँच झिल्लीदार उँगलिया होतीं हैं, जो इसे तैरने में सहायता

करती हैं। मेंढकों का आकार 9.8 मिलीमीटर (0.4 ईंच) से लेकर 30 सेण्टीमीटर (12 ईन्च) तक होता है। नर साधारणतः मादा से आकार में छोटे होते हैं। मेंढकों की त्वचा में विषग्रन्थियाँ होतीं हैं, परन्तु ये शिकारी स्तनपायी, पक्षी तथा साँपों से इनकी सुरक्षा नहीं कर पाती हैं।

भेक या दादुर (टोड) तथा मेंढक में कुछ अंतर है जैसे दादुर अधिकतर जमीन पर रहता है, इसकी त्वचा शुष्क एवं झुर्रीदार होती है जबकि मेंढक की त्वचा कोमल एवं चिकनी होती है। मेंढक का सिर तिकोना जबकि टोड का अर्द्ध–वृत्ताकार होता है। भेक के पिछले पैर की अंगुलियों के बीच झिल्ली भी नहीं मिलती है। परन्तु वैज्ञानिक वर्गीकरण की दृष्टि से दोनों बहुत हद तक समान जंतु हैं तथा उभयचर वर्ग के एनुरा गण के अन्तर्गत आते हैं। मेंढक प्रायः सभी जगहों पर पाए जाते हैं। इसकी 5000 से अधिक प्रजातियों की खोज हो चुकी है। वर्षा वनों में इनकी संख्या सर्वाधिक है। कुछ प्रजातियों की संख्या तेजी से कम हो रही है।

इकाइनोडर्मेटा

इकाइनोडर्मेटा संघ के सभी जीव समुद्री होते हैं जिनका शरीर काँटेदार होता है। इनके शरीर में जन प्रवाही–संस्थान होता है। इन एकलिंगी प्राणियों का शरीर तृस्तरीय एवं पाँच बाहुओं में विभाजित रहता है। तारा मछली, सी–आर्चीन, सी–कुकुम्बर इस संघ के प्रमुख प्राणी हैं। तारा मछली का आकार तारा जैसा होता है, शरीर में डिस्क और पांच भुजाएं होती है जो कड़े प्लेट्स से ढंकी रहता हैं। उपरी सतह पर अनेक कांटेदार रचनायें होती हैं। डिस्क पर मध्य में गुदा स्थित होती है। निचली सतह पर डिस्क के मध्य में मुंह स्थित है। भुजाओं पर दो कतारों में ट्यूब फीट होते हैं। प्रचलन की क्रिया ट्यूबफीट के द्वारा होती है तथा पैपुली द्वारा श्वसन की क्रिया होती है। इसकी एक प्रजाति,ळवीवदइंम को जापानी लोग बडे चाव से खाते हैं।

कवई (मछली)

कवई एक मछली है। यह नदी तथा तालाब के जल में मिलती है। इसका शरीर छोटा एवं लगभग आयताकार होता है। इसका शरीर शल्कों से ढँका रहता है। इसकी पुच्छीय पख छोटी एवं गोलाकार होती है। इसकी पृष्ठीय एवं गुदीय पख दो–दो खंडों में विभक्त होती हैं। इसमें गिल्स के आलावा सहायक श्वसन अंग भी होता है और इसकी पार्श्व रेखा खंडित होती है।

जल घोंघा

जल घोंघा मीठे जल में पाया जाता है। इसका शरीर बाहरी खोल से ढँका रहता है। बाह्य कंकाल का मुख एक ढक्कन से बन्द रहता है। जिसे अपर कुलम कहते हैं। इसका आकार सेव जैसा होता है अतः इसे एपेल स्नेल कहते हैं।

जेली मछली

जेली मछली सीलेन्टरेटा समुदाय का प्राणी है। इस बहुकोशकीय समुद्री प्राणी का शरीर देखने में छाते जैसा लगता है। इसकी 13 प्रजातियाँ होती हैं। इसके शरीर में अनेक प्रवर्ध निकले रहते हैं जिन्हें टेन्टकिलस कहते हैं। इसका त्रिज्यक सीमित होता है। इसके शरीर के अधर भाग के मध्य में मुँह और मुँह के साथ चार ओरल भुजा पायी जाती हैं।

झींगा

झींगा एक जलीय जन्तु है। इसका शरीर सिफैलोथोरैक्स एवं उदर में विभक्त होता है। सिर में एक जोड़ा संयुक्त आँख एवं दो जोड़े एन्टिनी होते हैं। इसमें पाँच जोड़े पैर एवं पाँच जोड़ं शाखांग होते हैं। श्वसन की क्रिया गिल्स द्वारा होती है। चिंराट (श्रिम्प) और झींगा दोनों समान हैं। दोनो की शारीरिक बनावट में अन्तर है। इनमें कोलेस्ट्रोल बढ़ाने की क्षमता होती है। यह एक हलका समुद्री भोजन है। यह मुख्य भोजन है समुद्र में रहने वाले जंतुओं का।

तारा मछली

तारा मछली इकाइनोडरमेटा संघ का अपृष्ठवंशी प्राणी है जो केवल समुद्री जल में ही पायी जाती है। इसके शरीर का आकार तारा जैसा होता है, शरीर में डिस्क और पांच भुजाएं होती है जो कड़े प्लेट्स से ढंकी रहता हैं। उपरी सतह पर अनेक कांटेदार रचनायें होती हैं। डिस्क पर मध्य में गुदा स्थित होती है। निचली सतह पर डिस्क के मध्य में मुंह स्थित है। भुजाओं पर दो कतारों में ट्यूब फीट होते हैं। प्रचलन की क्रिया ट्यूबफीट के द्वारा होती है तथा पैपुली द्वारा श्वसन की क्रिया होती है। इसकी एक प्रजाति, Gohongaze को जापानी लोग बडे चाव से खाते हैं।

मछली

मछली शल्कों वाला एक जलचर है जो कि कम से कम एक जोडाघ पन्खो से युक्त होती है। मछलियाँ मीठे पानी के स्रोतों और समुद्र मे बहुतायत मे पाई जाती हैं। समुद्र तट के आसपास के इलाकों में मछलियाँ खाने और पोषण का एक प्रमुख स्रोत हैं। कई सभ्यताओं के साहित्य, इतिहास एवं उनकी संस्कृति में मछलियों का विशेष स्थान है। इस दुनिया में मछलियों की कम से

कम 28,500 प्रजातियां पाई जाती हैं जिन्हें अलग अलग स्थानों पर कोई 2,18,000 भिन्न नामों से जाना जाता है। इसकी परिभाषा कई मछलियों को अन्य जलीय प्रणी से अलग करती है, यथा ह्वेल एक मछली नहीं है। परिभाषा के मुताबिक, मछली एक ऐसी जलीय प्राणी है जिसकी रीढ़ की हड्डी होती है (कशेरुकी जन्तु), तथा आजीवन गलफड़े (गिल्स) से युक्त होती हैं तथा अगर कोई डालीनुमा अंग होते हैं (लिंब) तो वे फिन के रूप में होते हैं।

मानवभक्षी मछलियां

सिंजपी (left-eyed flounder)

कुछ मछलियाँ न केवल विशालकाय हैं, बल्कि इतनी खतरनाक है कि पूरे इंसान को निगल भी सकती हैं।

किलर कैटफिश – यह हिमालय की तलहटी में मिलने वाली एक विशाल और नरभक्षी कैटफिश प्रजाति है।

डीमन फिश – जैसा कि इसका नाम है, यह दैत्याकार मछली है। यह दुनिया की सबसे खतरनाक मछलियों में से एक है। यह बड़े से बड़े जीवों को भी निगल जाती है। डीमन फिश अफ्रीका की कांगो नदी में पाई जाती है।

डेथ रे – थाइलैंड की मीकांग नदी में जेरेमी ने दुनिया की सबसे बड़ी मछलियों मे से एक डेथ रे को खोज निकाला। इसका वजन लगभग 7 सौ पाउंड है। इसके शरीर पर एक जहरीली और कांटेदार पूंछ होती है, जिसके प्रहार से इंसान की जान भी जा सकती है।

किलर स्नेकहेड – मछली से ज्यादा गैंगस्टर लगने वाली यह मछली हवा में सांस लेती है और जमीन पर भी रेंग लेती है। अपनी ही प्रजाति के जीवों को यह शौक से खाती है। यह एशिया में मुख्य रूप से चीन और दक्षिण कोरिया में पाई जाती है।

कांगो किलर – अफ्रीका की कांगो नदी में पाई जाने वाली कांगो किलर के खतरनाक होने का अंदाजा इस बात से लगा सकते है कि अफ्रीका में इसके बारे में एक लोककथा है, जिसमें कहा गया है कि यह मछली एक आत्मा के रूप में मछुआरों को ललचा कर उन्हें मौत की तरफ ले जाती है।

अलास्कन हॉरर – अलास्का की बर्फीली झील में मिलती है महाकाय अलास्कन हॉरर। इसके बारे में प्रचलित लोककथाओं में इसे आदमखोर माना जाता है।

रिट वैली किलर – अफ्रीका की रिट वैली में एक विशालकाय जीव रहता है –एम्पुटा या नाइल पर्च। यह अफ्रीका के ताजे पानी की सबसे बड़ी मछली है।

पिरान्हा – वर्ष 1976 में यात्रियों से भरी बस अफ्रीका के अमेजॉन नदी में गिर गई और कई लोगों की जान चली गई। जब शवों को बाहर निकाला गया, तो उनमें से कुछ को पिरान्हा मछलियों ने इतनी बुरी तरह खा लिया था कि उनकी पहचान उनके कपड़ों से हुई।

एलिगेटर गार – यह सादे पानी की ऐसी मछली है, जो इंसानों पर आक्रामक हमले करती है। यह शार्क की तरह खतरनाक और मगरमच्छ की तरह विशाल है।

यूरोपिययन मैनईटर – यह यूरोप के ताजे पानी वाली नदियों में अपनी थूथन उठाए घूमती रहती है। आक्रामक वैल्स कैटफिश इंसानों को भी अपना शिकार बना सकती है।

अमेजॉन असासिंस – अमेजन की गहराइयों में रहने वाली असासिंस शिकार को अपनी जीभ से कुचलती है, जो हड्डी से बनी होती है।

अमेजन लैश ईटर्स – यह अफ्रीकन मछली इंसान को निगल सकती है। यह जब हमला करती है, तो शरीर पर छुरा घोंपने जैसा निशान बन जाता है।

सी आर्चिन

ईकाइनस इस्कुलेन्टस या सी आर्चिन एक एकलिंगी समुद्री प्राणी है जो प्रायः सर्वत्र पाया जाता है। इसका शरीर गोलाकार या हृदयाकार होता है जो कल्केरियस सेल के अन्दर बन्द रहता है। इसमें प्रचलन की क्रिया ट्यूब फीट के द्वारा सम्पन्न होती है। इनका प्रमुख भोजन शैवाल जातीय छोटे जलीय पौधे हैं इनके जीवन चक्र में जटिल लार्वा अवस्था पायी जाती है।

सीप

सीप एक जलीय जन्तु है। इसका शरीर दो पार्श्व कपाटों में बन्द रहता है जो मध्य पृष्ट पर एक दूसरे से जुड़े रहते हैं। इसमें चलने के लिए एक मांसल पाव होता है। इसके पैरों के ऊपरी भाग में अनेक सामानान्तर रेखाएँ होती हैं जिन्हें वृद्धि की रेखा करते हैं।

हाँगर

हाँगर या शार्क एक पृष्ठवंशी समुद्री जल में रहने वाला प्राणी है। इसका शरीर बहुत लम्बा होता है जो शल्कों से ढका रहता है। इन शल्कों को प्लेक्वायड कहते हैं। त्वचा चिकनी होती है। त्वचा के नीचे वसा (चर्बी) की मोटी परत होती है। इसके शरीर में हड्डी की जगह उपास्थि (कार्टिलेज) पाई जाती है। शरीर नौकाकार होता है। इसका निचला जबड़ा ऊपरी जबड़े से छोटा होता है। अतः इसका मुँह सामने न होकर नीचे की ओर होता है जिसमें तेज दाँत होते हैं। यह एक माँसाहारी प्राणी है। शार्क के शरीर में देखने के लिए एक जोड़ी आँखें, तैरने के लिए पाँच जोड़े पखने और श्वांस लेने के लिए पाँच जोड़े क्लोम होते हैं।

मोलस्का संघ

ऑक्टोपस

ऑक्टोपस या 'अष्टबाहु' मोलस्का संघ का एक समुद्री प्राणी है। इस रात्रिचर जीव को डेविलफिश भी कहते हैं। इसी संघ में घोंघा, सीप, शंख इत्यादि जीव भी हैं। अष्टबाहुओं की गणना शीर्षपाद वर्ग में की जाती हैं। शीर्षवाद वर्ग के जीवों की अपनी कुछ विशेषताएँ हैं जो अन्य चूर्णप्रावारो (मोलस्कों) में नहीं पाई जातीं। मुख्य विशेषताएँ निम्नलिखित हैंरू उनके शरीर की रचना तथा संगठन अन्य जातियों से उच्च कोटि की होती है। वे आकार में बड़े सुडौल, बहुत तेज चलनेवाले, मांसाहारो, बड़े भयानक तथा कूर स्वभाव के होते हैं। बहुतों में प्रकवच (बाहरी कड़ा खोल) नही होता। ये पृथ्वी के प्रायः सभी उष्ण समुद्रों में पाए जाते हैं।

मसिक्षेपी (कटल फिश), कालक्षेपी (लोलाइगो), सामान्य अष्टबाहु, स्क्विड तथा मृदुनादिक (आर्गोनॉट) अष्टबाहुओं के उदाहरण हैं। पूर्ण वयस्क भीम (जाएँट) स्क्विड की लंबाई 50 फुट, नीचे के जबड़े 4 इंच तक लंबे और आंखों का व्यास 15 इंच तक होता है।

आक्टोपस का कोमल, गोलाकार या अंडाकार शरीर दस सेंटीमीटर से लेकर करीब बीस–पचीस फुट तक लंबा हो सकता है। इसमें कवच नहीं पाया जाता है या अविकसित होता है। इसकी आठ लचीली भुजाएँ होती है जिनके ऊपर भीतर की ओर अवृंत चूषक की दो पंक्तियाँ होती हैं। इन्हीं बाहुओं के सहारे यह आत्मरक्षा करता है या शिकार पकड़ता है। शत्रु के समीप आने पर यह काले द्रव का धुआँ अपनी मसीग्रन्थि से निकालता है जिससे इसकी रक्षा होती है। इसके सिर पर दो स्पष्ट नेत्र होते है और सिर के पश्च–अधरतल पर साइफन होता है। चीन और इटली में इसका भोज्य पदार्थ के रूप में प्रयोग होता है। सभी ऑक्टोपस जहरीले होते हैं परन्तु सिर्फ नीले

छल्ले वाले ऑक्टोपस का विष ही मनुष्य के लिए घातक होता है। यहां तक कि इसे दुनिया के सबसे विषधर जीवों में से एक माना जाता है।

आक्टोपस दुनिया का सबसे बुद्धिमान अकशेरुकी जीव माना जाता है। 'समुद्री जलचर विशेषज्ञों के एक दल ने अपने शोध के दौरान दो हजार से अधिक आक्टोपस का अध्ययन किया। इस दल का नेतृत्व करने वाले विशेषज्ञ ओलिवर वेलेंसियक ने बताया कि आक्टोपस अपने पहले तीन जोड़ी टेंटेकल का इस्तेमाल चीजों को पकड़ने में करता है। इसे इस तरह कह सकते हैं कि आक्टोपस अपने अगले छह टेंटेकल को हाथ और सबसे पीछे वाले दो टेंटेकल को पैर की तरह इस्तेमाल करता है। आक्टोपस की पकड़ उसकी देखने की शक्ति से जुड़ी होती है। जब आक्टोपस की एक आंख कमजोर होने लगती है तो उसकी दूसरी तरफ की बाहें उसका सहारा बनती हैं।

सामान्य अष्टबाहु को समुद्र का भयंकर जीव भी कहते हैं। उत्तरी समुद्रों में तल पर अधिकतर रहता है। इसमें आठ लंबी–लंबी मांसल बाहुएँ होती हैं। इसी से इस प्राणी का नाम अष्टबाहु पड़ा है। सामान्य अष्टबाहु की दो विपरीत बाहुओं के सिरों के बीच की दूरी 12 फुट और प्रशांत सागरीय भीम अष्टबाहु की 30 फुट तक होती है। इसके मुख के चारों और एक बहुत बड़ी कीप (फनेल) के समान गढ्डा होता है जिसका मुख प्रावार के भीतर तक चला जाता है। बाहुएँ आपस में झिल्ली से जुड़ी होती हैं। इनके भीतर तल पर बहुत से वृत्ताकार चूषको की दो पक्तियाँ होती हैं। इन चूषकों द्वारा अष्टबाहु चट्टानों से बड़ी मजबूती से चिपका रहता है और अन्य समुद्री जंतुओं को एक या अधिक बाहुओं से प्रबलता से पकड़ लेता हैं। जुड़ी हुई बाहुएँ भी पकड़ने का काम करती हैं। मुख में एक दंतीली जिह्वा भी होती है।

अष्टबाहु मांसाहारी होते हैं। बहुत से अष्टबाहु एक साथ रहते हैं। और अपने लिए पत्थरों या चट्टानों का एक आश्रयस्थल बना लेते हैं। वे एक साथ रात को खाने की खोज में निकलते हैं और फिर अपने आश्रयस्थल पर लौट आते हैं। मोती के लिए डुबकी लगानेवाले गोताखोर या समुद्र में नहानेवाले, बहुधा इनकी शक्तिशाली बाहुओं और चूषकों के फंदों में पड़कर घायल हो जाते हैं। यूरोप के दक्षिणी किनारे की बहुत सी मछलियाँ इनके कारण नष्ट हो जाती हैं। अष्टबाहु जब अपनी आठ बाहुओं को फैलाकर समुद्र तल पर रेंगता सा तैरता है तो एक बड़े मकड़े के सदृश दिखाई देता है। इसका पानी में तैरकर एक स्थान से दूसरे स्थान तक जाना भी बड़े विवित्र ढंग से होता है। तैरते समय अष्टबाहु अपने कीप से मुंह से बड़े बल से पानी को बाहर

फेंकता हैं और इसी से जेट विमान की तरह पीछे की ओर चल पाता है। साथ ही उसकी आठों बाहुएँ भी, जो अब पांव का कार्य करती हैं, उसे उसी तरफ बढ़ने में सहायता पहुँचाती हैं। इस प्रकार वह सामने देखता रहता है और पीछे हटता रहता है। इसका तंत्रिकातंत्र और आंखें इसी वर्ग के अन्य प्राणियों की तुलना में अधिक विकसित होती हैं। संतुलन तथा दिशा बतानेवाले अंग, उपलकोष्ठ (स्टैटोसिस्ट) और घ्राणतंत्रिका भी सिर पर पाई जाती हैं इसकी त्वचा में रंग भरी कोशिकाएँ होती हैं, जिनकी सहायता से यह अपनी परिस्थिति के अनुसार रंग बदलता है। इस विशेषता से इसको बहुधा अपने शत्रुओं से बचने में सहायता मिलती है।

मृदुनाविक (आर्गोनॉट) भी अष्टबाहु जाति का प्राणी है जो खुले समुद्र के ऊपरी तल पर तैरता पाया जाता है। मादा मृदुनाविक में एक बाह्म प्रकचव होता है, जो बहुत सुदर, कोमल और कुंतलाकार होता है। यह प्रकवच इस जंतु की दो बाहुओं के बहुत चौड़े और चिपटै सिरो की त्वचा के रस से बनता है, और ये बाहुएँ उनको बड़ी सुदंरता से उठाए रहती हैं। जब तक अंडे परिपक्व होकर फूटते नहीं तब तक मादा इसी बाह्म प्रकवच में रखकर अंडे को सेती हैं। नर मृदुनाविक में, जो स्त्री मृदुनाविक से छोटा होता है, बाह्म प्रकवच नहीं होता।

प्रजनन एवं विकास

अष्टबाहु नर तथा स्त्री (मादा) दोनों ही प्रकार के होते हैं और उसकी पिछली एक बाहु के रूप में कुछ भेद होता है। इसको निषेचांगीय (हेक्टोकौटिलाइज्ड) बाहु कहते हैं बह याहु प्रजनन के लिए अंडों के निषेचन (फर्टिलाइजेशन) में काम आती है। नर में दो प्रजनन ग्रंथियाँ और मादा में दो प्रजनन नलियाँ होती है। सहवास में नर अपनी निषेचांगीय बाहु को, जिसमें शुक्रभर (स्पमैटोफोर्स) होते हैं, स्त्री की प्रावार गुहा (मैंटलकैबिटी) में डालकर अपने शरीर से उस बाहु का पूर्ण विच्छेद कर देता है। बाहु में के शुक्राणुओं से अंडे तब निषिक्त हो जाते हैं। मादा अपने अंडों को या तो छोटे छोटे समूहों में या एक से एक लिपटे एक डोरे के रूप में देती है और किसी बाहरी पदार्थ से लटका देती है।

अंडे खाद्य पदार्थ से भरे होते हैं। इनमें विभाजनअपूर्ण होता है और जंतु के विकास में डिंभ नहीं बनता।

स्थलीय घोंघा

स्थलीय घोंघा एक अमेरुदण्डीय प्राणी है जो नमी युक्त घास के मैदान तथा बगीचों में पाया जाता है। यह स्वभाव से एक निशाचार प्राणी है और चट्टानों तथा लकड़ी के लठ्ठों के नीचे आराम करता है। यह एक शाकाहारी प्राणी है। इसका का शरीर नरम होता है जो एक घुमावदार एवं कड़े खोल में बन्द रहता है। खोल में एक बड़ा छिद्र होता है जो एक ढक्कन के द्वारा बन्द रहता है। ढक्कन के खुलने से मांसल पाद बाहर निकलकर चलने लगता है। ज्यों ही किसी आघात का आभास होता है, पाद अन्दर चला जाता है एवं ढक्कन बन्द हो जाता है। सिर पर एक मुख और दो जोड़े बड़े एवं छोटे टेन्टाकिल्स होते हैं। बड़े टेन्टाकिल्स पर एक–एक आँखें पायी जाती हैं।

पक्षी

पंख वाले या उड़ने वाले किसी भी जन्तु को पक्षी कहा जाता है। जीवविज्ञान में एविस श्रेणी के जन्तुओं को पक्षी कहते हैं। इस अण्डा देने वाले रीढ़धारी प्राणी की लगभग 10,000 प्रजातियाँ इस सामय इस धरती पर निवास करती हैं। इनका आकार 2 इंच से 8 फीट तक हो सकता है तथा ये आर्कटिक से अन्टार्कटिक तक सर्वत्र पाई जाती है। पक्षी ऊँचे पहाड़ो को उड़ कर पार कर जाते है। ये गहरे जल मे 250 मीटर तक डुबकी लगा लेते हैं। इन्हे ऐसे महासागरों के उपर उड़ते देखा गया हैं जहां से तट हजारों किलोमीटर दूर हैं। इनका शरीर पंखों से ढँका होता है। सभी प्राणियों में पक्षियाँ सबसे अधिक सुन्दर एवं आकर्षक प्राणी हैं। पंख रहते हुए भी कुछ पक्षियाँ उड़ नहीं सकती परन्तु अधिकतर पक्षियाँ आकाश में उड़ती हैं।

इनका सम्पूर्ण शरीर नौकाकार होता है और पंखों से ढँका होता है। शरीर सिर, गर्दन, धड़ और पूँछ में विभक्त रहता है। अग्रपाद डैनों में रूपान्तरित होता है। जबड़े चोंच में रूपान्तरित हो जाते हैं जिनमें दाँत नहीं पाये जाते हैं।

विकास और वर्गीकरण

पक्षियों का पहला वर्गीकरण फ्रांसिस विलुगबी और जॉन रे के द्वारा सन् 1676 मे आयतन ओमिथोलोजी में विकसित किया गया था। कारोलस लिनिअस ने इसको संशोधित किया है कि 1758 में काम वर्गीकरण प्रणाली वसीयत करने के लिए वर्तमान में उपयोग में पक्षियों को जैविक श्रेणी एविस के रूप में वर्गीकृत कर रहे हैं। लिनियन वर्गीकरण में जातिवृत्तिक वर्गीकरण स्थानों डायनासोर क्लेड थेरोपोडा में एविस और एविस कि एक बहन समूह, क्लेड क्रोडिलिया, साँप क्लेड अर्चोसोरिया के ही रहने वाले प्रतिनिधि होते हैं। 20 वीं सदी के दौरान, एविस सामान्यत: आधुनिक पक्षियों और आर्कियोप्टेरिक्स

लिथोग्रोफिया के सबसे हाल ही में आम पूर्वज के सभी सन्तान के रूप में किया गया था जाति – इतिहास के आधार पर परिभाषित है। हालांकि, एक वैकल्पिक रुप से जैक्स गोथर और फाइलोकोड के लिए एविस परिभाषित प्रणाली के अनुयायियों सहित वैज्ञानिकों द्वारा प्रस्तावित परिभाषा केवल आधुनिक पक्षी समूहों, ताज समूह में शामिल हैं। यह सबसे पुराने जीवाश्म से ही जाना जाता था। कुछ समूहों को छोड़कर, और उन्हें बताए गए अनुसार समुह मे शामिल किया गया था, अनिश्चितताओं से बचने के लिए भाग में पशुओं के संबंध में आर्कियोप्टेरिक्स के स्थान त्रिपदीय डायनासोर के रूप में पारंपरिक रूप के बारे में सोचा। सभी आधुनिक पक्षी ताज समूह निओर्निथेस भीतर है, जो दो उप विभाजनों में है। Palaeognathae, जो उड़ान (ऐसे शुतुरमुर्ग के रूप में) रेटिस और उड़ान तिनामोउस कमजोर और अत्यंत विविध Neognathae के अन्य सभी पक्षियों से युक्त इन दो सब्दिविजंस अक्सर superorder, का रैंक दिया जाता है है हालांकि लिवजी और जुसी उन्हें 'काउहोट' रैंक सौंपा जो वर्गीकरण दृष्टिकोण पर निर्भर करता है, यहा प्रजातियों कि सख्या बदलती रहती है यह सख्या लगभग 9800 से 10,050 तक है।

डायनासोर और पक्षियों की उत्पत्ति

जीवाश्म और जैविक साक्ष्य के आधार पर, अधिकांश वैज्ञानिकों स्वीकार करते हैं कि पक्षियों त्रिपदीय डायनासोर की एक विशेष उपसमूह है।

वैकल्पिक सिद्धांत और विवाद

पक्षियों की उत्पत्ति पर जल्दी ही कई वैज्ञानिको की असहमति शामिल हो गई कि क्या पक्षी डायनासोर या अधिक आदिम आर्चोशोर से विकसित है। हालांकि ओर्निथिस्कियन (पक्षी म्लान) डायनासोर आधुनिक पक्षियों के हिप संरचना का हिस्सा है, पक्षियों के लिए saurischian से उत्पन्न किया है लगा रहे हैं (छिपकली – म्लान) डायनासोर, और इसलिए उनकी हिप संरचना को स्वतंत्र रूप से विकसित वास्तव में, एक पक्षी की तरह कूल्हे संरचना थेरोपोड्स की एक अजीब समूह Therizinosauridae के रूप में जाना जाता है यह इनके बीच तीसरी बार विकसित हुए है।

पक्षी की उड़ान

अधिकांश पक्षी उड़ सकते है, जो उन्हें लगभग सभी अन्य हड्डीवाला

वर्गों से अलग करते है। उड़ान अधिकांश पक्षी प्रजातियों के लिए हरकत की प्राथमिक साधन है और प्रजनन के लिए प्रयोग किया जाता है, भोजन, और शिकारी परिहार और बचने के लिये पक्षी उड़ान के लिए विभिन्न रूपांतरों के एक हल्के कंकाल, दो बड़ी उड़ान की मांसपेशियों, पेक्ट्रोलिस (जो पक्षी के कुल द्रव्यमान का 15: के लिए खातों) और सुपराकोराकोडस, के रूप में अच्छी तरह से एक बार संशोधित (पंख) है कि एक पख के रूप में कार्य करता है, इसका आकार आम तौर पर एक पक्षी प्रजाति श्की उड़ान के प्रकार का निर्धारण, कई पक्षियों संचालित गठबंधन, कम ऊर्जा की गहन बढ़ते उड़ान के साथ उड़ान फड़फड़ा करते है। वर्तमान के बारे में 60 प्रजातियों के पक्षी उड़ने में हैं, जैसा कि कई विलुप्त पक्षी थे। थ्सपहीजसमेदमे अलग द्वीपों, शायद सीमित संसाधनों और शिकारियों के अभाव के कारण पक्षियों में अक्सर उठता है। हालांकि, पेंगुइन इसी तरह की मांसलता और आंदोलनों का उपयोग पानी में तेरने के लिये करते है। उनके भारी शरीर के कारण वह हवा में उड़ान भरने में अक्षम होते है।

व्यवहार

आहार और भोजन

पक्षी विविध प्रकार के भोजन करते हैं जिनमे पराग, फल, पौधों, बीज, सडा हुआ मांस, और विभिन्न छोटे जानवरों को अन्य पक्षियों सहित, शामिल हैं। क्योंकि पक्षियों के दांत नहीं होते, उनके पाचन तंत्र के के कारण पूरे निगल जाते हैं। जो बिना चबाए खाने वाले खाद्य पदार्थों की प्रक्रिया के लिए अनुकूलित है। पक्षी खाद्य पदार्थों की एक किस्म पर भोजन या फीड प्राप्त करने के लिए कई रणनीतियों को रोजगार के रुप में उपयोग करते है, जबकि दूसरों कि विशिष्ट खाद्य पदार्थों पर समय और प्रयास ध्यान केंद्रित या भोजन प्राप्त करने के लिए एक एकल रणनीति का ही उपयोग करते है, विशेषज्ञों ने माना जाता है। पक्षी रणनीतियों वाले प्रजातियों से भिन्न है। कई पक्षी कीड़े, अकशेरुकी, फल, या बीज के लिए बीनना। एक शाखा से अचानक हमला करके कुछ शिकार कीड़े आदि कई मामलों में उन प्रजातियों कि कीट कीड़े की तलाश लाभकारी जैविक नियंत्रण एजेंट श्और उनके जैविक कीट नियंत्रण कार्यक्रम में प्रोत्साहित उपस्थिति पर विचार कर रहे हैं। जैसे humming-birds, sunbirds, lories, और दूसरों के बीच lorikeets पराग भक्षण विशेष रूप से झबरा जीभ अनुकूलित किया है। शैवतमइपतके बिल विभिन्न लंबाई

और पारिस्थितिक दपबीमे के जुदाई में खिला तरीकों परिणाम सववदे, डाइविंग बतख, पेंगुइन, अकशेरूकीय के लिए लंबे समय के बिल जांच के साथ सह अनुकूलित फूल न्यूजीलैंड और shorebirds को फिट करने के लिए डिजाइन विधेयक और नो अपने शिकार पानी के नीचे का पीछा, प्रणोदन के लिए अपने पंखों या पैरों का उपयोग, sulids, किंगफिशर, और अपने शिकार के बाद जमतदे डुबकी डुबकी के रूप में हवाई शिकारियों मे करते है जबकि राजहंस चतपवद की तीन प्रजातियां, और कुछ बतख फिल्टर भक्षण करने में करते है। कुछ कलहंस और बतख कंइइसपदह मुख्य रूप से कर रहे हैं।

एमू

'एमू' (Emu) एक विशालकाय पक्षी है। यह आस्ट्रेलिया का राष्ट्रीय पक्षी है। यह विश्व का दूसरा सबसे बड़ा पक्षी है।

आस्ट्रेलिया का विशालकाय पक्षी एमू शुतुरमुर्ग के बाद विश्व का दूसरा सबसे बड़ा पक्षी है। इसकी ऊँचाई लगभग दो मीटर होती है। एमू पक्षी का भी शुतुरमुर्ग के समान पंख होते हुए उड़ नहीं सकता। एमू एक भारी, किन्तु बड़ा फुर्तीला पक्षी है। इसके शरीर का रंग मटमैला भूरापन लिये हुए होता है। एमू के पंख बड़े चमकीले और सुन्दर होते है। नर तथा मादा दोनों के गले के पास एक विचित्र सी थैली होती है, जिसमें हवा भर कर यह अनोखी आवाज निकलता है। एमू की टांगे मजबूत और शक्तिशाली होती है। इनकी सहायता से यह पचास कि. मी. प्रति घंटा की गति से सरलता से भाग सकता है। एमू के पैरो में कैसोवरी के समान कोई तेज धारदार काँटा तो नहीं होता, फिर भी इसकी ठोकर शुतुरमुर्ग तथा कैसोवरी के समान ही खतरनाक होती है। सामान्यतया यह अपने शत्रुओ से डर कर भागता नहीं है, बल्कि उनका मुकाबला करता है। एमू को सामूहिक जीवन अधिक प्रिय है। यह पक्षी रिया के समान अकेले रहना पसन्द नहीं करता और सदैव आठ–दस के झुण्ड में रहता है। अपनी प्रजाति के अन्य पक्षियों के समान एमू भी घासफूस, फलफूल तथा जंगली वनस्पतियों के साथ ही साथ छोटे–छोटे कीड़े–मकोड़े खाता है। जंगली चूहे तथा छिपकलियाँ इसका प्रिय भोजन है। पंख होते हुए न उडने वाले विशालकाय पक्षियों में शुतुरमुर्ग तथा रिया नर पक्षी एक से अधिक मादा पक्षियों के साथ समागम करते है, किन्तु एमू ऐसा नहीं करता। नर एमू एक ही मादा एमू के साथ समागम करता है तथा जीवन भर उसी के साथ रहता है।

सामान्यतया सभी पक्षियों में नर पक्षी का शरीर मादा से अधिक विशाल तथा शक्तिशाली होता है, किन्तु एमू ऐसा नहीं होता। इनमें मादा एमू का शरीर नर एमू से बड़ा होता है। यह जमीन से कुछ ऊँचाई वाले भाग के गढ़े में घासफूस तथा पत्तियों से अपना घोसला बनाता है, जिसमें मादा एमू छरू से लेकर बारह तेरह तक हरे–नीले रंग के अण्डे देती है। इन अण्डो को नर एमू ही सेता है तथा अण्डों से बच्चे निकलने पर भी नर एमू ही उनका तब तक पोषण करता है जब तक वे आत्म निर्भर नहीं बन जाते।

एलेक्स

एलेक्स एक अफ्रिकन तोता था, जो कि तीव्र बुद्धिशाली था।

वैज्ञानिक आइरिन ने अपने तोते का नाम भी अपने परीक्षण यानि। vian Learning EXperiment से लेकर ALEX रखा।

इसके बाद अलेक्स का प्रशिक्षण शुरू हुआ। जैसा कि मैने कहा, अलेक्स का प्रशिक्षण आम प्रशिक्षणों से एकदम अलग था। अलेक्स को वस्तुओं, उसके रंग, आकार, पदार्थ आदि के लिए प्रशिक्षित किया जाता था। दो व्यक्ति अलेक्स के सामने खडे होते और दोनों मे एक व्यक्ति अपने साथी से सवाल पूछता और सामने वाला जवाब देता। यह सब अलेक्स के सामने होता ताकि वो देख सके कि क्या हो रहा है। उदाहरण के तौर पर एक व्यक्ति अपनी जेब से पीले रंग की प्लास्टिक की चाबी निकालता और सामने वाले व्यक्ति से पूछता," What is this\" अब उसका मित्र कहता ,'Key-' यह बार बार दोहराया जाता. फिर सवाल बदल कर पूछा जाता, "What color\" अब सामने वाला जवाब देता,"Yellow"- इस प्रकार से धीरे धीरे एलेक्स भी समझने लग गया कि चाबी क्या होती है और विभिन्न रंग कैसे होते हैं।

ओपनबिल्ड स्टॉर्क

घोंघिल (ओपनबिल्ड स्टॉर्क– अंग्रेजी: Openbilled Stork) एक वृहदाकार पक्षी है जो पहाड़ी क्षेत्रें को छोड़कर पूरे भारतीय उपमहाद्वीप में पायी जाती है। इसके अतिरिक्त, यह पक्षी, थाइलैंड, चीन, वियतनाम, रूस आदि देशों में भी मौजूद हैं। लम्बी गर्दन व टाँगे तथा चोंच के मध्य खाली स्थान इसकी मुख्य पहचान हैं। इसके पंख काले–सफेद रंग के होते हैं जो प्रजनन के समय अत्यधिक चमकीले हो जाते है, और टाँगे गुलाबी रंग की हो जाती है। प्रजनन के उपरान्त इनका रंग हल्का पड़ जाता है, और गन्दा सिलेटी रंग हो जाता

है। किन्तु प्रजनन काल के उपरान्त कुछ समय बीतते ही, पंखों में चमक दोबारा वापस आ जाती है। इनके पंख सफेद व काले रंग के और पैर लाल रंग के होते हैं। इनका आकार बगुले से बड़ा और सारस से छोटा होता है। इनकी चोंच के मध्य खाली स्थान होने के कारण इन्हें ओपनबिल कहा गया। चोंच का यह आकार घोंघे को उसके कठोर आवरण से बाहर निकालने में मदद करता है। यह पक्षी पूर्णतया मांसाहारी है।

कबूतर

कबूतर पूरे विश्व में पाये जाने वाला पक्षी है। यह एक नियततापी, उड़ने वाला पक्षी है जिसका शरीर परों से ढका रहता है। मुँह के स्थान पर इसकी छोटी नुकुली चोंच होती है। मुख दो चंचुओं से घिरा एवं जबड़ा दंतहीन होता है। अगले पैर डैनों में परिवर्तित हो गए हैं। पिछले पैर शल्कों से ढँके एवं उँगलियाँ नखरयुक्त होती हैं। इसमें तीन उँगलियाँ सामने की ओर तथा चौथी उँगली पीछे की ओर रहती है। यह जन्तु मनुष्य के सम्पर्क में रहना अधिक पसन्द करता है। अनाज, मेवे और दालें इलका मुख्य भोजन हैं। भारत में यह सफेद और सलेटी रंग के होते हैं पुराने जमाने में इसका प्रयोग पत्र और चिट्ठीयां भेजने के लिये किया जाता था।

कमेड़ी

कमेड़ी कबूतर जाती का एक पक्षी है जो पश्चिम राज़स्थान मे बहुत अधिक पाया जाता है ये हलके सफेद रंग का होता है इसके गले पर कलि रिंग बनी होती है और पंजे सुनहरे रंग के होते है इसमें नर का शारीर थोडा मोटा होता है जबकि मादा छोटी होती है ये सफेद रंग के अंडे देती है और उनके लिए घोंसला खुद ही बनती है जो कि पेड़ो पर बनाया जाता है इनके अन्डो को कोआ और सांप नुकसान पहुंचाते है सालवा कलां मे ये पक्षी बहुत है और इनके पीछे एक बुरी भावना ये है कि घर कि मुंडेर पर बैठ कर बोलना अपशगुन माना जाता है इसकी बोली को मारवाड़ी मे काको खेत काकी खेत श्कुआ आंगन जिसका मतलब बुरा निकाला ज़ाता है।

किंगफिशर

किंगफिशर कोरासीफोमर्स वर्ग के छोटे से मध्यम आकार के चमकीले रंग के पंक्षियों का एक समूह है। इनका एक सर्वव्यापी वितरण है जिनमें से

ज्यादातर प्रजातियाँ ओल्ड वर्ल्ड और ऑस्ट्रेलिया में पायी जाती हैं। इस समूह को या तो एक एकल परिवार एल्सिडिनिडी के रूप में या फिर उपवर्ग एल्सिडाइन्स में माना जाता है जिनमें तीन परिवार शामिल हैं, एल्सिडिनिडी (नदीय किंगफिशर), हैल्सियोनिडी (वृक्षीय किंगफिशर) और सेरीलिडी जलीय किंगफिशर)। किंगफिशर की लगभग 90 प्रजातियां हैं। सभी के बड़े सिर, लंबे, तेज, नुकीले चोंच, छोटे पैर और ठूंठदार पूंछ हैं। अधिकांश प्रजातियों के पास चमकीले पंख हैं जिनमें अलग–अलग लिंगों के बीच थोड़ा अंतर है। अधिकांश प्रजातियां वितरण के लिहाज से उष्णकटिबंधीय हैं, और एक मामूली बड़ी संख्या में केवल जंगलों में पायी जाती हैं। ये एक व्यापक रेंज के शिकार और मछली खाते हैं, जिन्हें आम तौर पर एक ऊंचे स्थान से झपट्टा मारकर पकड़ा जाता है। अपने वर्ग के अन्य सदस्यों की तरह ये खाली जगहों में घोंसला बनाते हैं, जो आम तौर पर जमीन पर प्राकृतिक या कृत्रिम तरीके से बने किनारों में खोदे गए सुरंगों में होते हैं। कुछ प्रजातियों, मुख्यतः द्वीपीय स्वरूपों के विलुप्त होने का खतरा बताया जाता है।

कोयल (पक्षी)

कोयल या कोकिल 'कुक्कू कुलश का पक्षी है, जिसका वैज्ञानिक नाम श्यूडाइनेमिस स्कोलोपेकस स्कोलोपेकस' है। नर कोयल नीलापन लिए काला होता है, तो मादा तीतर की तरह धब्बेदार चितकबरी होती है। नर कोयल ही गाता है। उसकी आंखें लाल व पंख पीछे की ओर लंबे होते हैं। नीड़ परजीविता इस कुल के पक्षियों की विशेष नेमत है यानि ये अपना घोसला नहीं बनाती। ये दूसरे पक्षियों विशेषकर कौओं के घोंसले के अंडों को गिरा कर अपना अंडा उसमें रख देती है। स्वभाव से संकोची यह पक्षी कभी किसी के सामने पडने से कतराता है। इस वजह से इनका प्रिय आवास या तो आम के पेड़ हैं या फिर मौलश्री के पेड़ अथवा कुछ इसी तरह के सदाबहार घने वृक्ष, जिसमें ये अपने आपको छिपाए हुए तान छेड़ता है।

खरबानक

खरबानक टिट्टिभ (टिटहरी) वर्ग का एक प्रसिद्ध पक्षी। इसे करबानक, लंबी, खरमा, पाणविक आदि भी पुकारते हैं। इसके नर और मादा दोनों ही एक ही रंगरूप के होते हैं। यह पक्षी लगभग 16 इंच लंबा होता है। शरीर का रंग राखीपन लिए होता है, उस पर गाढ़ी भूरी लकीर और चिह्न होते हैं।

पीठ की चित्तियाँ घनी और नीचे की ओर बिखरी बिखरी सी रहती हैं। आँख पर होकर एक काली धारी सिर के बगल तक आती है। इसके ऊ पर और नीचे की ओर एक हलकी भूरी लकीर होती है। डैने भूरे, दुम राख के रंग की और नीचे का हिस्सा सफेद होता है। गर्दन और पूँछ के नीचे का भाग ललछौंह भूरा और सीने पर खड़ी गाढ़ी भूरी धारियाँ होती हैं। आँख चटक पीली और चोंच तथा टाँगे पीली होती है।

यह बाग बगीचों और जंगलों के निकट जहाँ सूखे ताल और नरकुल तथा सरपत की झाड़ियाँ हो, प्रायः रहता है। यह एकदम भूमि पर रहनेवाला पक्षी है और अपना सारा समय खुले मैदान में घूमकर बिताता है। यह अपनी खूराक के लिए दिन की अपेक्षा रात में चक्कर लगाता है। अपने मटमैले रंग के कारण लोगों का ध्यान इसकी ओर तब तक आकृष्ट नहीं हो पाता जब तक यह आवाज कर भागता या उड़ता नहीं। खतरे के समय यह पर समेट कर जमीन में दुबक जाता है। सामान्यतः यह अकेले या जोड़े में रहता है। इसका मुख्य भोजन कीड़े मकौड़े हैं।

खंजन

खंजन भारतीय साहित्य का एक चिरपरिचित और उपमेय पक्षी। इसे खिंडरिच, खंजरीट, खंडलिच आदि नामों से भी पुकारते हैं। यह मोटासिलिडी (Motacillidae) कुल के मोटासिला (motacilla) वर्ग (genus) का पक्षी है जिसे अंग्रेजी में वैगटेल कहते हैं। यह भारत का बहुत प्रसिद्ध पक्षी है जो जाड़ों में उत्तर की ओर से आकर सारे देश में फैल जाता है और गरमी आरंभ होते ही शीत प्रदेशों को लौट जाता है। यह छोटा सा चंचल पक्षी है। इसकी लंबाई 7 से 9 इंच तक होती है। देह लंबी तथा पतली होती है। यह पानी के किनारे बैठा अपनी पूँछ बराबर हिलाता रहता है। इसके नेत्र हर समय चंचल रहते हैं जिसके कारण भारतीय कवि नेत्रों की उपमा खंजन से दिया करते हैं। गोस्वामी तुलसीदास जी ने भी मानस में लिखा है रू

खंजन मुंज तिरीछे नैननि।

रंगरूप और स्वभाव में भेद के अनुसार इसकी चार जातियां देश में पाई जाती हैं।

यह खंजन लगभग 8 इंच लंबा और रंग में चितकबरा होता है। जाड़ों में इसके नर के सिर के पीछे एक काला चकत्ता रहता है जो गले के चारों

ओर फैल जाता है। सिर का ऊपरी भाग और शरीर का निचला हिस्सा सफेद होता है जिसमें थोड़ी कंजई झलक रहती है। ऊपर का हिस्सा हल्का सिलेटी और डैने काले होते हैं। डैने के परों के किनारे सिलेटी और सफेद होते है य दुम काली होती है जिसके दोनों बाहरी पंख सफेद रहते हैं। गर्मियों में ठुट्ढी से सीने तक का रंग काला हो जाता है। नर की अपेक्षा मादा धुमैली होती है और शरीर पर की चित्तियां चटक नहीं होती। यह जाड़ों में देश में प्रायः सर्वत्र पानी के किनारे दिखाई देता है। गरमियों में यह यहाँ से लौटकर कश्मीर तथा हिमालय की तराई में अपने घोंसले बनाकर रहता है और वहीं अंडे देता है। इस प्रकार ऋतु के अनुसार इतनी इतनी दूरियों का स्थानांतरण प्रकृति का एक आश्चर्यजनक चमत्कार ही कहा जाएगा।

सफेद खंजन

यह पानी के किनारे छोटे छोटे झुंडों में कीड़े मकोड़ों का शिकार करता रहता है और दौड़कर चलता है, अन्य पक्षियों की भाँति फुदकता नहीं। खतरे का आभास मिलने पर उड़ जाता है किंतु थोड़ी ही दूर के बाद पुनरू जमीन पर उतर आता है। इसकी उड़ान लहराती हुई होती है और उड़ते समय चिट् चिट् जैसी बोली बोलता रहता है। सामान्यतः यह पक्षी दो चार की ही टोली में देखा जाता है किंतु जब वे पहाड़ों की ओर लौटते हैं तो इनका एक बड़ा समूह बन जाता है।

शबल खंजन

इसे ममोला और कालकंठ भी कहते हैं। यह सफेद खंजन से कुछ बड़ा और उससे अधिक चितकबरा होता है। नर का सिर, ऊपरी सीना और शरीर का सारा ऊपरी भाग काला होता है। आँख के ऊपर एक चौड़ी पट्टी होती है जो नथुने से लेकर कान तक चली जाती है। डैने काले होते हैं, जिनके किनारे सफेद रहते हैं य दुम काली होती है जिसके बाहर के दोनों पंखों का अधिकांश भाग सफेद होता है नीचे शरीर का सारा भाग सफेद होता है। नर और मादा रूपरंग में प्रायः एक से ही होते हैं। अंतर केवल इतना ही है कि मादा का काला भाग चटक काला न होकर कुछ रखीले भूरेपन को लिए होता है। यह भारतवर्ष का बारहमासी पक्षी है और अपना देश छोड़कर कहीं बाहर नहीं जाता। यह देश के प्रायः सभी स्थानों पर तथा हिमालय में भी पाँच हजार फुट की ऊंचाई तक देखने में आता है। यह अकेले या झुंड में नदियों, झीलों

और तालाबों के किनारे कीड़े मकोड़े ढूंढ़ता फिरता है। इसकी प्रायः सभी आदतें सफेद खंजन जैसी ही होती हैं। घोसला बनाने के मामले में यह पक्षी अत्यंत लापरवाह है। पानी के निकट किसी भीटे या चट्टानों की सूराख में थोड़ा सा घासफूस रखकर ही मादा अंडा दे देती है।

भूरा खंजन

इसे खैरैया भी कहते हैं। यह जाड़ों में उत्तर और पश्चिम की ओर से आता है और हिमालय से लेकर धुर दक्षिण तक फैल जाता है। यह पानी के किनारे अकेले ही रहता है। यह अपनी लंबी दुम, निलछौंह स्लेटी पीठ और पीले पेट के कारण आसानी से पहचाना जा सकता है। जाड़ों में नर और मादा दोनों का ऊपरी भाग निलछौंह स्लेटी रहता है और उसमें हरछौंह झलक भी जान पड़ती है। दुम की जड़ के पास एक पिलछौंह हरा चकत्ता रहता है और आँख के ऊपर एक गंदी सफेद रेखा जाती है। डैने काले भूरे होते हैं जिसके किनारे पिलछौंह सफेद रहते हैं। दुम काली जिसके किनारे हरछौंह और तीन जोड़े पंख एकदम सफेद रहते हैं। ठुड्डी गला और गर्दन का अगला भाग सफेद रहाता है। नीचे का सारा भाग पीला होता है जो दुम तक जाते जाते अधिक चटक हो जाता है। गर्मियों में नर की ठुड्डी गला और गर्दन का अगला भाग काला हो जाता है। यह समान्यतः पहाड़ी झरनों के किनारे रहने वाला पक्षी है लेकिन इसे सभी प्रकार के जलाशयों के किनारे देखा जा सकता है। गर्मियों में यह पक्षी स्वदेश लौट जाता है; कुछ हिमालय में रह भी जाते हैं और वहीं मई जून में अंडे देते हैं।

खैर (पक्षी)

खैर भारतीय पहाड़ी पक्षी जो प्रायः 4 हजार से 15 हजार फुट की ऊँचाई पर ही देखने में आता है। किंतु अपनी शर्मीली आदत के कारण यह सरलता से देखने में नहीं आता। अपनी तेज आवाज के आधार पर ही उसके कहीं होने का पता चलता है। वह हमेशा घनी झाड़ियों में घुसा रहता है। पेड़ पर कभी नहीं चढ़ता। यदा कदा कीड़े मकोड़ों की तलाश में घास के मैदानों में भी इसके झुंड दिखाई पड़ जाते हैं।

यह पक्षी आकार में छोटा, महज 6 इंच का होता है। इसके पीठ और डैने का रंग खैरा (कत्थई) होता है; सिर का ऊपरी भाग ललछौंह और आँख के ऊपर एक सफेद लकीर होती है। दुम के पैरों के सिरे सफेद और नीचे का

हिस्सा हलका पीलापन लिए सफेद होता है।

गिद्ध

गिद्ध शिकारी पक्षियों के अंतर्गत आनेवाले मुर्दाखोर पक्षी हैं, जिन्हें गृद्ध कुल (Family Vulturidae) में एकत्र किया गया है। ये सब पक्षी दो भागों में बाँटे जा सकते हैं। पहले भाग में अमरीका के कॉण्डर (Condor), किंग वल्चर (King Vulture), कैलिफोर्नियन वल्चर (Californian Vulture), टर्की बजर्ड (Turkey Buzzard) और अमरीकी ब्लैक वल्चर (American Black Vulture) होते हैं और दूसरे भाग में अफ्रीका और एशिया के राजगृद्ध (King Vulture), काला गिद्ध (Black Vulture), चमर गिद्ध (White baeked Vulture), बड़ा गिद्ध (Griffon Vulture) और गोबर गिद्ध (Scavenger Vulture) मुख्य हैं।

ये कत्थई और काले रंग के भारी कद के पक्षी हैं, जिनकी दृष्टि बहुत तेज होती है। शिकारी पक्षियों की तरह इनकी चोंच भी टेढ़ी और मजबूत होती है, लेकिन इनके पंजे और नाखून उनके जैसे तेज और मजबूत नहीं होते। ये झुंडों में रहने वाले मुर्दाखेर पक्षी हैं जिनसे कोई भी गंदी और घिनौनी चीज खाने से नहीं बचती। ये पक्षियों के मेहतर हैं जो सफाई जैसा आवश्यक काम करके बीमारी नहीं फैलने देते।

ये किसी ऊँचे पेड़ पर अपना भद्दा सा घोंसला बनाते हैं, जिसमें मादा एक या दो सफेद अंडे देती है। भारत में गिद्ध की चार प्रजातियाँ पायी जाती हैं, भारतीय गिद्ध (Gyps indicus), लंबी चोंच का गिद्ध (Gyps tenuirostris), ग्रिफॉन गिद्ध (Gyps fulvus) तथा सफेघ्द पुट्ठे वाला गिद्ध (Gyps bengalensis)

घरेलू गौरैया

घरेलू गौरैया (पासर डोमेस्टिकस) एक पक्षी है जो यूरोप और एशिया में सामान्य रूप से हर जगह पाया जाता है। इसके अतिरिक्त पूरे विश्व में जहाँ जहाँ मनुष्य गया इसने उनका अनुकरण किया और अमरीका के अधिकतर स्थानों , अफ्रीका के कुछ स्थानों, न्यूजीलैंड और आस्ट्रेलिया तथा अन्य नगरीय बस्तियों में अपना घर बनाया। शहरी इलाकों में गौरैया की छह तरह ही प्रजातियां पाई जाती हैं। ये हैं हाउस स्पैरो, स्पेनिश स्पैरो, सिंड स्पैरो, रसेट स्पैरो, डेड सी स्पैरो और ट्री स्पैरो। इनमें हाउस स्पैरो को गौरैया कहा जाता है। यह शहरों में ज्यादा पाई जाती हैं। आज यह विश्व में सबसे अधिक

पाए जाने वाले पक्षियों में से है। लोग जहाँ भी घर बनाते हैं देर सबेर गौरैया के जोड़े वहाँ रहने पहुँच ही जाते हैं।

गोरैया एक छोटी चिड़िया है। यह हल्की भूरे रंग या सफेद रंग में होती है। इसके शरीर पर छोटे छोटे पंख और पीली चोंच व पैरों का रंग पीला होता है। नर गोरैया का पहचान उसके गले के पास काले धब्बे से होता है। 14 से 16 से.मी. लंबी यह चिड़िया मनुष्य के बनाए हुए घरों के आसपास रहना पसंद करती है। यह लगभग हर तरह की जलवायु पसंद करती है पर पहाड़ी स्थानों में यह कम दिखाई देती है। शहरों, कस्बों गाँवों और खेतों के आसपास यह बहुतायतं से पाई जाती है। नर गौरैया के सिर का ऊपरी भाग, नीचे का भाग और गालों पर पर भूरे रंग का होता है। गला चोंच और आँखों पर काला रंग होता है और पैर भूरे होते है। मादा के सिर और गले पर भूरा रंग नहीं होता है। नर गौरैया को चिड़ा और मादा चिड़ी या चिड़िया भी कहते हैं।

चील

चील, श्येन कुल, फैमिली फैलकोनिडी (Family falconidae), का बहुत परिचित पक्षी है, जिसकी कई जातियाँ संसार के प्रायः सभी देशों में फैली हुई हैं। इनमें काली चील (Black kite), ब्रह्मनी या खैरी चील (Brahmany kite), ऑल बिल्ड चील (Awl billed kite), ह्विसलिंग चील (Whistling kite) आदि मुख्य हैं।

चील लगभग दो फुट लंबी चिड़िया है, जिसकी दुम लंबी ओर दोफंकी रहती है। इसका सारा बदन कलछौंह भूरा होता है, जिसपर गहरे रंग के सेहरे से पड़े रहते हैं। चोंच काली और टाँगें पीली होती हैं।

बाज, बहरी आदि शिकारी चिड़ियों से इसके डैने बड़े, टाँगें छोटी और चोंच तथा पंजे कमजोर होते हैं। चील उड़ने में बड़ी दक्ष होती है। बाजार में खाने की चीजों पर बिना किसी से टकराए हुए, यह ऐसी सफाई से झपट्टा मारती है कि देखकर ताज्जुब होता है।

यह सर्वभक्षी तथा मुर्दाखोर चिड़िया है, जिससे कोई भी खाने की वस्तु नहीं बचने पाती। ढीठ तो यह इतनी होती है कि कभी कभी बस्ती के बीच के किसी पेड़ पर ही अपना भद्दा सा घोंसला बना लेती है। मादा दो तीन सफेद या राखी के रंग के अंडे देती है, जिनपर कत्थई चित्तियाँ पड़ी रहती हैं।

जलकाक

जलकाक (Cormorant) या पनकौआ पक्षियों में बक गण (Order Ciconiformes) के जलकाक कुल (Family Phalacrocoracidae) का प्रसिद्ध पक्षी है जिसकी कई जातियाँ सारे संसार में पाई जाती हैं। इस कुल के पक्षियों का रंग काला, चोंच लंबी, टाँगें छोटी और उँगलियाँ जालपाद होती है। ये अपना अधिक समय पानी में ही बिताते हैं और पानी के भीतर मछलियों की तरह तैर लेते हैं। ये सब मछलीखोर पक्षी हैं।

टिटहरी

टिटिहरी (संस्कृत : टिट्टिभ / अंग्रेजी : सैण्डपाइपर) जलाशयों के समीप रहनेवाली एक छोटी चिड़िया है जिसके सिर, गले तथा सीने पर के बाल काले रंग केय पीठ तथा डैने भूरे रंग के और निचला भाग सफेद होता है। इसे कुररी भी कहते हैं। इसके बारे में विशेष बात यह है कि यह अपना घोंसला नहीं बनाती बल्कि बालू में ही अंडे देती है।

इस श्रेणी के जलचर पक्षियों के शारीर और पैर लम्बे, एवं पंख संकीर्ण होते हैं। अधिकांश प्रजातियों के चोंच संकीर्ण होते है, लेकिन उनके आकार और लम्बाई में काफी विभिधता होती हैं।

तोता

तोता या शुक एक पक्षी है जिसका वैज्ञानिक नाम शसिटाक्यूला केमरीश है। यह कई प्रकार के रंग में मिलता है। तोता पक्षियों के सिटैसी (Psittaci) गण के सिटैसिडी (Psittacidae) कुल का पक्षी है, जो गरम देशों का निवासी है। यह बहुत सुंदर पक्षी है और मनुष्यों की बोली की नकल बखूबी कर लेता है। यह सिलीबीज द्वीप से सालोमन द्वीप तक के क्षेत्र में फैला हुआ है। इसकी कई जातियाँ हैं। लेकिन इनमें हरा तोता (Ring Necked Parakett), जो अफ्रीका में गैंबिया के मुहाने (mouth of Gambia) से लेकर, लालसागर होता हुआ भारत, बरमा और टेनासरिम (Tenasserim) तक फैला हुआ है, सबसे अधिक प्रसिद्ध है। यह हरे रंग का 10–12 इंच लंबा पक्षी है, जिसके गले पर लाल कंठा होता है। तोते को मनुष्यों ने संभवतरू सबसे पहले पालतू किया और आज तक ये शौक के साधन बने हुए हैं।

●●